New Concept CHINESE

总策划：许　琳

监　制：马箭飞　　静　炜　　戚德祥

彭增安　　张彤辉　　刘　兵　　王锦红

顾　问：白乐桑［法］　　崔永华　　邓守信

古川裕［日］　　刘　珣

姚道中［美］　　袁博平［英］

New Concept CHINESE

新概念汉语

English Edition 英语版

Textbook 课本 1

北京语言大学出版社
BEIJING LANGUAGE AND CULTURE UNIVERSITY PRESS

使用说明

《新概念汉语》是一套供成年人使用的汉语教材，可以用来自学，也可以在课堂教学中使用。

本教材基于汉语和汉语作为第二语言教学的实践和研究成果，学习、吸收国内外外语教学的有效方法和21世纪的教学理念和教学实践，选择实用、简要、有趣的教学内容，设计简便、有效的学习和教学方法，努力为不同类型的汉语学习者和教师提供方便。

本教材配有相应的配套资源，包括学习手册（供自学者使用）、MP3光盘（课文、词语、练习录音）、汉字练习册、教师手册（供课堂教学使用）、网络平台（提供教学资源和咨询）等。

本书是《新概念汉语》第一册。为方便读者，特作如下说明。

一、教学对象、目标、内容和教学安排

教学对象：本册教材供稍有汉语基础的成人汉语学习者自学使用。

教学目标：通过40～60小时的学习，达到新HSK 2级水平，即掌握基本的汉语语音、词汇、语法和汉字知识，具备初步的汉语听、说、读、写能力，可以用汉语就熟悉的日常话题进行简单的交流，达到初级汉语优等水平，与《欧洲语言共同参考框架》的A2级外语水平大致相当。

教学内容：本册教材教授400多个汉语交际常用词、300多个汉字、40多个语法项目，以及外国人使用汉语学习、生活、工作时最常见的话题。

教学安排：本册教材共分为20个教学单元，每单元2课书；每课书自学者大约使用1～1.5小时，课堂教学教授1小时，课外学习0.5～1小时。

教材的单数课为单元主课，引进和学习新的话题、表达方式、新词语和注释，以及课文的拼音文本、英译文本和汉字练习。双数课为单元复练课，内容包括句式/表达方法的熟巧练习、扩展词汇和词汇练习、控制性交际练习和真实交际活动建议。

本教材对汉字教学提供“语文分开”和“语文并进”两种方式供学习者选择。前者可只使用汉语拼音或学习每课提供的3个汉字。这3个汉字简单、有一定趣味，可以帮助学习者理解汉字的笔画、结构、造字原理。后者可以使用汉字练习册提供的每课书出现的所有汉字进行书写练习，学习手册还将给学习者介绍一些简单、有趣的汉字知识，提供更多的汉字练习。

二、给自学者的学习建议

下面是我们给自学者推荐的单元学习过程和方法。

（一）学习单元主课

1. 热身

用一张纸挡住单数课右边的一页（下面简称右页），读课文的题目和要求回答的问题（中英文），看课文左边的插图，猜测本课要说什么，想想关于要说的话题和图片，已经学过哪些词语。一定不要错过这一步，这样做可以帮助你更好、更快地理解和学习课文。

2. 听录音寻找答案

记住要回答的问题，继续挡住右页。

听全部课文录音，只听不读，注意寻找问题的答案，并用拼音把它写下来。

如果没有找到，没关系，多数人第一遍是找不到的。再听一遍，如果还没找到，把右页的挡纸下移，看看本课的生词，再听一遍，就可以找到了。记住把答案写下来。

注意，你这时的答案也有可能是不对的。

3. 学习生词

如果你找到了答案，或者听了3遍还没找到答案，请下移右页的挡纸，看右边的生词表（先不要读出），理解生词的意思；画出学过的汉字，如果是多字词，想想这个汉字在这个多字词中的意思。

听两遍录音，只听不读，再跟录音朗读两遍或多遍，直到你认为已经记住了生词的意思和发音为止。

4. 听录音理解全部课文

听全部课文录音，看看你找到的答案对不对。如果不对，加以改正，写下来。然后回想本课谈论的话题和具体内容。

边看课文边按话轮听录音（如果看汉字版本有困难，可移动右页挡纸看拼音文本），每个话轮停下来，参考图片，理解会话的意思，没听懂或还有疑问时可以回放，也可以参考右页的注释。实在听不懂，先放过，接着听下面的句子，不要急于打开英译文本。

再逐句听一遍课文，记下没听懂或还有疑问的句子。

打开英译文本，检查自己的理解是否正确，确保正确理解了课文的每一句话。

5. 朗读课文

边看课文（汉字文本或拼音文本）边跟录音逐句朗读2～3遍，注意开始时不要读得太快，注意发音，特别是声调。然后跟录音朗读两遍，速度可稍快。然后再自己朗读两遍课文（汉字文本或拼音文本），再加快速度，直到熟练或自己满意为止。

6. 复述课文

挡住右页的拼音文本，把英译文本作为提示，叙述本课课文1～2遍。

7. 学习汉字

认读汉字，回想这个汉字出现的词语或句子，想想汉字的意思；朗读汉字，注意正确发音；在另一张纸上，按照示例的笔顺书写汉字3～5遍。

（二）学习单元复练课

1. 热身

读课文题目，看图片，圈出图片下学过的词语和汉字，想想本课可能要说什么话题。

2. 学习生词

看右边的生词表（先不要读出），理解生词的意思，画出学过的汉字，如果是多字词，想想这个汉字在这个多字词中的意思；然后听2～3遍录音（只听不读）；跟录音朗读两遍或多遍，直到记住了生词的发音和意思为止。

3. 预习

看图片，想想图片、提示词语的含义，猜测录音要说什么，可以记下一两个句子，用来验证自己的猜测。

4. 听课文录音

听示例和课文的全部问题（只听不读），参考图片，理解每个问题的意思，把不懂的和有疑问的地方画出来，再听一遍问题。

听录音，跟读示例，再根据提示逐个回答问题，问答时注意发现这些句子的共同点即句式的特点。

光盘录有本课课文的问题和回答，学习手册含有录音文本。学习者可用它们来核对自己的回答是否正确，也可用此录音作为听力材料，提高聆听理解能力。

5. 跟录音说课文

跟录音说课文中的问题，再根据提示逐个回答问题。做2～3遍，速度可以逐渐加快。

6. 词汇练习

练习1以词汇练习为主，主要帮助理解和学习词汇的用法，练习时请注意：(1) 练习做好后要大声朗读，掌握词语的发音，通过朗读，也可以帮助提高语感，发现词汇练习中的错误；(2) 利用学习手册核对练习答案，发现错误，分析错误的原因，纠正错误；(3) 有的练习可能不止一个答案。

7. 交际框架练习

练习2是运用本课所学的句式、词汇进行小型问答练习，目的是帮助学习者掌握会话框架。此项练习做法如下：

听示例录音并跟读，然后朗读两遍示例，理解和熟悉示例提供的交际框架。

用这个框架和提示词语做练习。做两个练习以后，回头再朗读示例，以保证练习的正确性。

光盘录有全部问题和回答，学习手册含有录音文本及参考答案。学习者可用它们来核对自己的回答是否正确，也可用此录音作为听力练习材料，提高聆听理解能力。

8．真实交际活动

练习3是一项运用本单元所学内容进行的真实交际活动，希望学习者努力创造条件完成。这些任务可以帮助你通过复习、体验，把所学的相关知识和技能内化为汉语交际能力，达到汉语学习的最终目标。

三、课堂教学建议

使用本书作为课堂教学的教材，可以参考教师手册中提供的各课的教学建议，也可以参照上面介绍的学习步骤。需要特别注意的是，在课文学习、各项练习活动中，增加师生互动、生生互动的环节。

A Guide to the Use of This Book

New Concept Chinese is a series of Chinese learning materials for adults, which can be used for both self-teaching and classroom teaching.

This series is written based on the practices and researches of Chinese language and teaching Chinese as a second language, integrating the effective methods used in foreign language teaching both in China and abroad as well as the pedagogical ideas and practices of the 21st century. Practical, concise and interesting teaching materials were selected and simple and effective learning and teaching methods were designed so as to provide convenience for various types of students/learners and teachers of Chinese language.

Additional materials supporting the textbooks include the Student's Manuals (for self-taught learners), MP3 disks (with recordings of the texts, new words and exercises), Chinese Character Workbooks, Teacher's Manuals (for classroom teaching) and reference resources on the online platform, etc.

This is Textbook 1 in the series. For the convenience of users, the following points need to be made clear:

1. Targets, objectives, contents and arrangement of teaching

Targets: This book is designed for adults having some basic knowledge about Chinese and learning Chinese by themselves.

Objectives: After 40-60 hours' learning of this book, learners will achieve a Chinese proficiency of New HSK Level 2, which means they will master the basic pronunciation rules, vocabulary and grammar of Chinese as well as basic information about Chinese characters, acquire preliminary listening, speaking, reading and writing skills and be able to make simple conversations about everyday topics in Chinese. At that time, their Chinese proficiency will be at an upper elementary level, which is approximately equivalent to Level A2 in the Common European Framework of Reference for Languages.

Contents: This book teaches more than 400 words frequently used in communication, over 300 Chinese characters and more than 40 grammar items as well as the topics foreigners are most likely to encounter in their study, life and work.

Arrangement of teaching: This book is divided into 20 units, each of which contains two lessons. For self-taught learners, each lesson takes about 1-1.5 hours; for classroom teaching, it takes one hour; and for extracurricular study, 0.5-1 hour.

The odd-numbered lessons are the main ones, which introduce and teach new topics, expressions, words and notes and provide the *pinyin* and English versions of the texts along with exercises on Chinese characters. The even-numbered ones are of review and practice, mainly including exercises for sentence patterns and expressions previously learned, supplementary words and vocabulary exercises, controlled communicative exercises and suggestions mainly regarding communication activities in real life situations.

As for the learning of Chinese characters, the book provides learners with two choices: "reading and writing separately" and "reading and writing simultaneously". Learners who choose the first way may use *pinyin* only and/or learn the three characters given in each lesson. Being easy and fun, those three characters can help learners understand the basic strokes and structures of Chinese characters and the principles of building them. Those who choose the second way can make use of the Chinese Character Workbook to practice writing all the characters in each lesson. They can also learn some simple and interesting knowledge about Chinese characters from the Student's Manual and find more exercises regarding Chinese characters in it.

2. Suggestions for self-taught learners

We suggest self-taught learners study each unit in the book following the steps and methods given below:

(1) For the learning of the main lessons

① Warm-up

First of all, cover the right-hand page with a piece of paper when you begin to study each odd-numbered lesson. Read the title of the text and the question asked (in both Chinese and English). Then look at the cartoon pictures on the left of the text, guess the topic of the lesson and think about the words and expressions you have learned that are relevant to the topic and pictures. Never skip this step; it will help you understand and learn the text better and faster.

② Listen to the recording and find the answer

Bear the question in mind while covering the right-hand page.

Listen (don't read out loud) to the recording of the whole text. Try to find the answer to the question and note it in *pinyin*.

If you fail to find the answer, don't worry. Most people can't find it the first time. Listen to it again. This time if you fail, remove the cover on the right-hand page and take a look at the new words in the lesson. Next, listen again and you'll find an answer. Write it down.

But still, your answer may not be right.

③ Learn the new words

Whether you have found the answer or not after listening to the text recording three times, you need to remove the cover on the right-hand page and learn the meanings of the new words. (Do not read them aloud at the moment.) Circle the Chinese characters you have learned and think about their meanings in the specific words.

Listen (don't read out loud) to the recording twice and then read aloud along with the recording two or more times until you have remembered the meaning and pronunciation of each new word.

④ Listen to the recording and understand the whole text

Listen to the recording of the whole text and check if the answer you found previously is right or not. If not, correct it and write the right one down. Then review in your mind the topic and content of the text.

Read the text while listening to the turns taken in the conversation (If you have a problem reading the text in Chinese characters, you can read it in *pinyin* on the right-hand page). Pause at the end of each turn and try to understand the meaning of it based on the pictures. You can play it back if you still have problems, or you can consult the notes on the right-hand page. Temporarily surpass what you really don't understand and move on to the next sentence. Don't refer to the text in English at this moment; be patient.

Listen to the text again sentence by sentence and note down the sentences you don't understand or have problems with.

Turn to the text in English and check if your understanding is right. Make sure you have correctly understood every sentence in the text before proceeding to the next step.

⑤ Read the text aloud

Read the text (in Chinese characters or in *pinyin*) aloud two or three times sentence by sentence following the recording. Don't read it too fast in the beginning. Pay attention to your pronunciation, especially to the tones. Then read it aloud twice following the recording at a faster speed. Finally, read the text (in Chinese characters or *pinyin*) aloud twice by yourself and then speed up until you can read it fluently or satisfactorily.

⑥ Retell the text

Cover the *pinyin* of the text on the right-hand page and retell the text once or twice by referring to its English version.

⑦ Learn the Chinese characters

Read each character and think about its meaning based on your memory of the words and sentences involving this character. Read the characters aloud, trying to pronounce them correctly. Write the characters 3-5 times on a piece of paper following the example.

(2) For the learning of the review lessons

① Warm-up

Read the title of the lesson, look at the pictures and circle the words and characters you have learned below the pictures. Think about what topic may appear in this lesson.

② Learn the new words

Read (silently) the new words on the right and learn their meanings. Circle the characters you have learned and think about their meanings in the specific words. Next, listen (don't read out aloud) to the recording two or three times, and then read after it aloud two or more times until you have remembered the pronunciation and meaning of each new word.

③ Preview the lesson

Look at the pictures, think about the meanings of the pictures and the words given, and guess what may appear in the recording. Write down one or two sentences to verify your guess later.

④ Listen to the recording of the text

Listen (don't read out loud) to the example and all the questions. Try to understand what each question means with the help of the picture. Underline what you don't understand or have problems with, and then listen to the questions again.

Listen to the recording and read the example after it. Then answer the questions one by one based on the hints given, trying to find the commonalities among the sentences, or in other words, the features of the sentence pattern.

You can find the recording of the questions and their answers in the MP3 disk and their scripts in the Student's Manual; they can be used to check your answers and the recording can be used as listening materials to improve your listening comprehension.

⑤ Read the text following the recording

Read the questions of the text following the recording and then answer them one by one based on the hints given. Practice two or three times, each time at a faster speed.

⑥ **Do the vocabulary exercises**

Exercise 1 focuses on vocabulary; it helps learners understand and learn the usages of the words. There are three things you need to pay attention to. Firstly, read the words aloud after you finish the exercises, which not only helps you master the pronunciation of each word, but also improves your lingual sensitivity as well as your ability to find the mistakes you made in the vocabulary exercises. Secondly, check your answers with the appendix. Find the mistakes, analyze the reasons for making them and correct them. Lastly, remember there are probably more than one answer to some of the exercises.

⑦ **Do the communicative exercises**

Exercise 2 requires learners to ask simple questions and answer them using the sentence patterns and words in each unit, aiming at helping learners master the communicative framework taught in the unit. It is conducted through the following steps:

Listen to the recording of the example and read following it. Then read the example aloud twice to understand and get familiar with the communicative framework provided in it.

Do the exercises using this framework and the words given. Read the example again after finishing two of the exercises in order to make sure you do them right.

You can find the recording of the exercises in the MP3 disk and their scripts in the Student's Manual to check your answers, and the recording can be used as listening materials to improve your listening comprehension.

⑧ **Communicate in real life situations**

Exercise 3 in each even-numbered lesson is a communicative activity for you to complete on your own by applying what was learned in the unit. Through these activities, you will review and experience the lessons contextually and turn the knowledge and skills you've learned into internalized Chinese communication skills, which is the ultimate goal of learning Chinese.

3. Suggestions for classroom teaching

To use this book in the classroom, teachers can seek suggestions from the Teacher's Manual or refer to the steps introduced above. What to bear in mind when teaching the texts and conducting the exercises and activities is to try your best to enhance the degree of teacher-student and student-student interaction.

目录

Contents

Nǐ jiào shénme míngzi
你叫什么名字
What's your name

听录音，然后回答问题： 他们叫什么？
What are their names? Listen to the recording and then answer the question.

王方方：你好！

林　木：你好！

王方方：我叫王方方。你叫什么名字？

林　木：我姓林，叫林木。

王方方：他叫什么名字？

林　木：他叫刘大双。

王方方：他叫什么名字？

林　木：他叫刘小双。

New words

1. 你 nǐ pron. you (*singular*)
2. 好 hǎo adj. good
3. 我 wǒ pron. I, me
4. 叫 jiào v. to be called, to be named
5. 什么 shénme pron. what
6. 名字 míngzi n. name
7. 姓 xìng v. to be surnamed
8. 他 tā pron. he, him

Notes

1. 我叫王方方。

"Subject+Verb+Object" is the most common sentence structure in Chinese.

2. 你叫什么名字?

This is the Chinese way to ask someone's name. Pay attention to the position of the interrogative word in the sentence.

3. 我姓林，叫林木。

In a Chinese name, the family name comes before the given name. For example, in the name "王方方", "王" is the family name and "方方" is the given name.

4. 他叫刘大双。……他叫刘小双。

Liu Dashuang and Liu Xiaoshuang are twin brothers. Liu Dashuang is older than Liu Xiaoshuang.

Text in pinyin

Wáng Fāngfāng: Nǐ hǎo!
Lín Mù: Nǐ hǎo!

Wáng Fāngfāng: Wǒ jiào Wáng Fāngfāng. Nǐ jiào shénme míngzi?
Lín Mù: Wǒ xìng Lín, jiào Lín Mù.

Wáng Fāngfāng: Tā jiào shénme míngzi?
Lín Mù: Tā jiào Liú Dàshuāng.

Wáng Fāngfāng: Tā jiào shénme míngzi?
Lín Mù: Tā jiào Liú Xiǎoshuāng.

Text in English

Wang Fangfang: Hello!
Lin Mu: Hello!

Wang Fangfang: My name is Wang Fangfang. What's your name?
Lin Mu: My family name is Lin, and my full name is Lin Mu.

Wang Fangfang: What's his name?
Lin Mu: His name is Liu Dashuang.

Wang Fangfang: What's his name?
Lin Mu: His name is Liu Xiaoshuang.

Writing Chinese characters

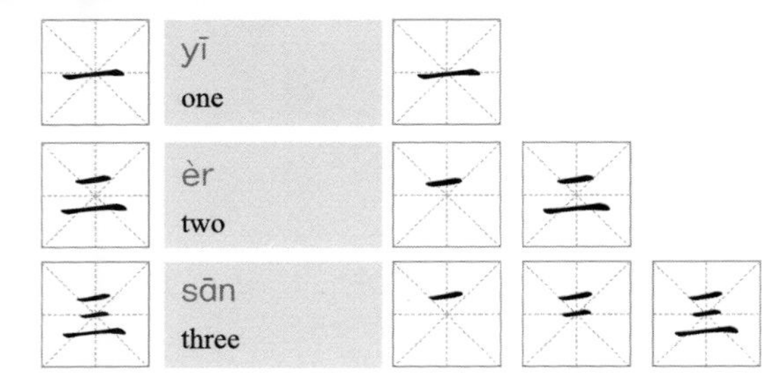

Lesson 2

Tā jiào Yáo Míng

他叫姚明

His name is Yao Ming

2-1
2-2

听录音，根据提示词语回答问题。
Listen to the recording and then answer the questions based on the hints given.

Wáng Fāngfāng
1. 王 方方

Nǐ jiào shénme míngzi?
你叫 什么名字？

Wǒ jiào Wáng Fāngfāng.
我叫 王 方方。

Wáng Yùyīng
2. 王 玉英

Dīng Shān
3. 丁 山

Mǎ Huá
4. 马 华

Sūn Zhōngpíng
5. 孙 中平

Yú Wénlè
6. 于文乐

Wú Míngyù
7. 吴 明玉

Dèng Lìjūn
8. 邓 丽君

Lǐ Xiǎolóng
9. 李 小龙

Yáo Míng
10. 姚 明

New words

2-3

她 tā pron. she, her

Exercises

1. 选择填空。Choose the correct word for each blank.

a. 叫 (jiào)　b. 姓 (xìng)　c. 什么 (shénme)　d. 名字 (míngzi)

（1）你叫 __c__ 名字？
Nǐ jiào ___ míngzi?

（2）他姓林，他 ____ 林木。
Tā xìng Lín, tā ___ Lín Mù.

（3）她叫 ____？
Tā jiào ___?

（4）她 ____ 王，她叫王方方。
Tā ___ Wáng, tā jiào Wáng Fāngfāng.

（5）我 ____ 刘，____ 刘大双。
Wǒ ___ Liú, ___ Liú Dàshuāng.

（6）他 ____ 姚，他 ____ 姚明。
Tā ___ Yáo, tā ___ Yáo Míng.

2-4

2. 模仿例子，提问并回答。Ask questions and answer them following the example.

（1）他 林木
tā Lín Mù

他叫什么（名字）？
Tā jiào shénme (míngzi)?

他姓林，叫林木。
Tā xìng Lín, jiào Lín Mù.

（2）他 李小龙
tā Lǐ Xiǎolóng

（3）他 姚明
tā Yáo Míng

（4）她 王玉英
tā Wáng Yùyīng

（5）他 丁山
tā Dīng Shān

3. 说说你认识的中国朋友的姓名。Talk about the names of your Chinese friends.

Lesson 3

Tā shì Zhōngguórén

他是中国人

He is Chinese

3-1

听录音，然后回答问题： 他们是哪国人？

What are their nationalities? Listen to the recording and then answer the question.

王方方：这是林木，他是中国人。

这是大卫，他是法国人。

大　卫：您好！认识您很高兴。

林　木：您好！认识您我也很高兴。

大　卫：那是谁？

王方方：他是刘大双。

大　卫：他是哪国人？

王方方：他是中国人。

New words

3-2

1. 这 zhè pron. this	7. 很 hěn adv. very, quite
2. 是 shì v. to be	8. 高兴 gāoxìng adj. happy, glad
3. 中国人 Zhōngguórén p.n. Chinese (people)	9. 也 yě adv. also, too
中国 Zhōngguó p.n. China	10. 那 nà pron. that
4. 法国人 p.n. Fǎguórén French (people)	11. 谁 shéi pron. who, whom
5. 您 nín pron. you (*polite singular*)	12. 哪国人 nǎ guó rén person from which country, what nationality
6. 认识 rènshi v. to know	哪 nǎ pron. which

Notes

1. 您好!

"您" is a respectful form to address elders and seniors.

2. 认识您我也很高兴。

"也" is an adverb used after the subject and before a verb or an adjective, meaning "also/too".

3. 他是哪国人?

In Chinese, special questions have the same word order as statements, e.g., "你叫什么名字" and "那是谁".

Text in pinyin

Wáng Fāngfāng: Zhè shì Lín Mù, tā shì Zhōngguórén.
Zhè shì Dàwèi, tā shì Fǎguórén.

Dàwèi: Nín hǎo! Rènshi nín hěn gāoxìng.
Lín Mù: Nín hǎo! Rènshi nín wǒ yě hěn gāoxìng.

Dàwèi: Nà shì shéi?
Wáng Fāngfāng: Tā shì Liú Dàshuāng.

Dàwèi: Tā shì nǎ guó rén?
Wáng Fāngfāng: Tā shì Zhōngguórén.

Text in English

Wang Fangfang: This is Lin Mu. He is Chinese.
This is David. He is French.

David: Hello! Glad to meet you.
Lin Mu: I'm glad to meet you, too.

David: Who's that?
Wang Fangfang: That is Liu Dashuang.

David: What's his nationality?
Wang Fangfang: He is Chinese.

Writing Chinese characters

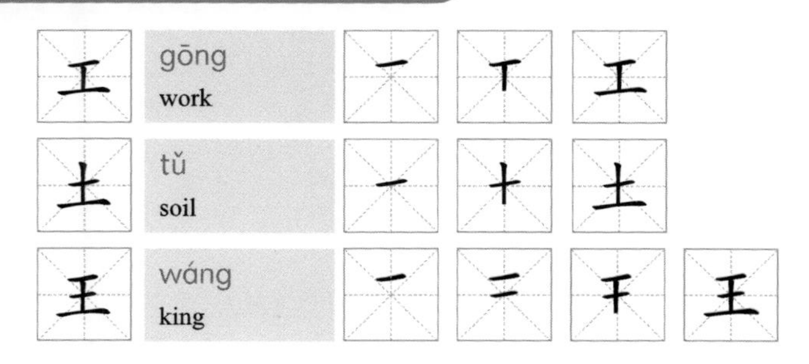

Lesson 4

Tā shì nǎ guó rén
他是哪国人
What's his nationality

4-1
4-2

听录音，根据提示词语回答问题。
Listen to the recording and then answer the questions based on the hints given.

Dàwèi Fǎguórén
1. 大卫 法国人

Tā shì shéi?
他是谁？

Tā shì Dàwèi.
他是大卫。

Tā shì nǎ guó rén?
他是哪国人？

Tā shì Fǎguórén.
他是法国人。

Kǒngzǐ
2. 孔子 （Confucius）
Zhōngguórén
中国人

Bèiduōfēn
3. 贝多芬 （Beethoven）
Déguórén
德国人

Bìjiāsuǒ
4. 毕加索 （Picasso）
Xībānyárén
西班牙人

Màndélā
5. 曼德拉 （Mandela）
Nánfēirén
南非人

Mènglù
6. 梦露 （Monroe）
Měiguórén
美国人

Gǒng Lì
7. 巩 俐
Zhōngguórén
中国人

New words

4-3

1. 德国人 Déguórén p.n. German (people)
2. 西班牙人 Xībānyárén p.n. Spanish (people)
3. 南非人 Nánfēirén p.n. South African (people)
4. 美国人 Měiguórén p.n. American (people)

Exercises

1. **选择填空。** Choose the correct word for each blank.

jiào a. 叫　xìng b. 姓　shì c. 是　yě d. 也

Tā Wáng, Wáng Fāngfāng.
(1) 她 b 王，a 王方方。

Tā Měiguórén, tā shì Měiguórén.
(2) 他____美国人，她____是美国人。

Tā Liú, Liú Dàshuāng, tā Zhōngguórén.
(3) 他____刘，____刘大双，他____中国人。

Tā Bìjiāsuǒ, tā Xībānyárén.
(4) 他____毕加索，他____西班牙人。

Tā Bèiduōfēn, tā Déguórén.
(5) 他____贝多芬，他____德国人。

4-4

2. **模仿例子，提问并回答。** Ask questions and answer them following the example.

Liú Dàshuāng Wáng Fāngfāng Zhōngguórén
(1) 刘大双　王方方　中国人

Tā / Tā shì nǎ guó rén?
他/她是哪国人？

Liú Dàshuāng shì Zhōngguórén, Wáng Fāngfāng yě shì Zhōngguórén.
刘大双是中国人，王方方也是中国人。

Kǒngzǐ Lǎozǐ Zhōngguórén
(2) 孔子　老子　中国人

Gēdé Bèiduōfēn Déguórén
(3) 歌德（Goethe）　贝多芬　德国人

Yǔguǒ Luódān Fǎguórén
(4) 雨果（Hugo）　罗丹（Rodin）　法国人

Bìjiāsuǒ Sàiwàntísī Xībānyárén
(5) 毕加索　塞万提斯（Cervantes）　西班牙人

3. **介绍两个外国朋友的姓名和国籍。** Talk about the names and nationalities of two friends from other countries.

Nín shì Mù xiānsheng ma

您是木先生吗

Are you Mr. Mu

5-1

听录音，然后回答问题：这是谁的快递？

Whose express mail is it? Listen to the recording and then answer the question.

邮递员：请问，您是木先生吗？

林　木：我不是。他姓木。

邮递员：木先生，这是您的快递。

木先生：对不起，这不是我的快递。

邮递员：请问，谁是木林？

林　木：我叫林木，不叫木林。

这是我的快递。

邮递员：对不起，林先生。

林　木：没关系。

邮递员：再见。

林　木：再见。

New words

5-2

1. 邮递员	yóudìyuán	n.	mailman
2. 请问	qǐngwèn	v.	excuse me, may I ask…
3. 先生	xiānsheng	n.	Mr., sir
4. 吗	ma	part.	*used at the end of a yes/no question*
5. 不	bù	adv.	no, not
6. 的	de	part.	*used after an attribute*
7. 快递	kuàidì	n.	express mail
8. 对不起	duìbuqǐ	v.	to be sorry
9. 没关系	méi guānxi		it doesn't matter
10. 再见	zàijiàn	v.	goodbye

Notes

1. 请问，您是木先生吗？

"请问" is commonly used at the beginning of a sentence to ask a question.

2. 您是木先生吗？

"吗" is a modal particle used after a statement to form an interrogative sentence.

3. 这是您的快递。

Here the particle "的" is used after an attribute to indicate possession.

4. 这不是我的快递。

"不" is an adverb used after the subject and before a verb or an adjective to form the negative form of various sentences.

Text in pinyin

Yóudìyuán: Qǐngwèn, nín shì Mù xiānsheng ma?
Lín Mù: Wǒ bú shì. Tā xìng Mù.

Yóudìyuán: Mù xiānsheng, zhè shì nín de kuàidì.
Mù xiānsheng: Duìbuqǐ, zhè bú shì wǒ de kuàidì.

Yóudìyuán: Qǐngwèn, shéi shì Mù Lín?

Lín Mù: Wǒ jiào Lín Mù, bú jiào Mù Lín.
Zhè shì wǒ de kuàidì.

Yóudìyuán: Duìbuqǐ, Lín xiānsheng.
Lín Mù: Méi guānxi.

Yóudìyuán: Zàijiàn.
Lín Mù: Zàijiàn.

Text in English

Mailman: Excuse me, are you Mr. Mu?
Lin Mu: No. He is Mr. Mu.

Mailman: Mr. Mu, this is your express mail.
Mr. Mu: Sorry, but it isn't mine.

Mailman: May I ask who is Mu Lin?

Lin Mu: I'm Lin Mu, not Mu Lin.
This is my mail.

Mailman: I'm sorry, Mr. Lin.
Lin Mu: It doesn't matter.

Mailman: Goodbye!
Lin Mu: Goodbye!

Writing Chinese characters

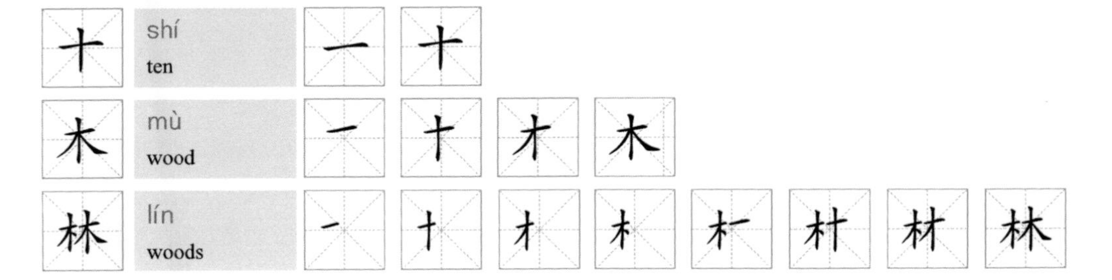

Lesson 6

Tā shì Wáng jīnglǐ

他是王经理

He is Manager Wang

6-1
6-2

听录音，根据提示词语回答问题。
Listen to the recording and then answer the questions based on the hints given.

Mù xiānsheng　Lín xiānsheng
1. 木先生　林先生

Tā shì Mù xiānsheng ma?
他是木先生吗？

Tā bú shì Mù xiānsheng, tā shì Lín xiānsheng.
他不是木先生，他是林先生。

Wáng xiānsheng　Lǐ xiānsheng
2. 王先生　李先生

Yú xiǎojie　Liú xiǎojie
3. 于小姐　刘小姐

Sūn nǚshì　Lǐ nǚshì
4. 孙女士　李女士

Zhāng lǎoshī　Liú lǎoshī
5. 张老师　刘老师

Mǎ jīnglǐ　Wáng jīnglǐ
6. 马经理　王经理

Dīng dàifu　Yú dàifu
7. 丁大夫　于大夫

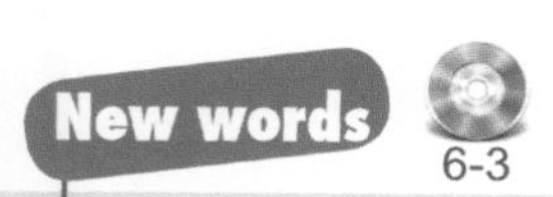

1. 小姐 xiǎojie n. young lady, miss
2. 女士 nǚshì n. lady, madam
3. 老师 lǎoshī n. teacher
4. 经理 jīnglǐ n. manager
5. 大夫 dàifu n. doctor, medical practitioner

Exercises

1. 选择填空。Choose the correct word for each blank.

shì a. 是　　yě b. 也　　bù c. 不　　ma d. 吗　　méi guānxi e. 没关系

（1）Tā　Wáng Fāngfāng.
她 __a__ 王 方方。

（2）Tā shì Lǐ xiānsheng
他是李 先生____?

（3）Tā　Liú lǎoshī ma?
他____刘老师吗?

（4）Tā　shì Zhāng nǚshì.
她____是 张 女士。

（5）Tā　shì Yú xiǎojie,　bú shì Liú xiǎojie.
她____是于小姐，____不是刘小姐。

（6）Wáng xiānsheng: Duìbuqǐ.
王 先生：对不起。

Mǎ xiǎojie:
马小姐：____。

2. 模仿例子，提问并回答。Ask questions and answer them following the example.

（1）Wáng xiānsheng　Lǐ xiānsheng
王 先生　李 先生

Nín shì Wáng xiānsheng ma?
您是 王 先生 吗?

Duìbuqǐ.
对不起。

Bú shì, wǒ xìng Lǐ.
不是，我姓 李。

Méi guānxi.
没 关系。

（2）Sūn jīnglǐ　Liú jīnglǐ
孙经理　刘经理

（3）Dīng lǎoshī　Zhāng lǎoshī
丁 老师　张 老师

（4）Wáng dàifu　Yú dàifu
王 大夫　于大夫

（5）Lǐ xiǎojie　Lín xiǎojie
李小姐　林小姐

3. 在商场，你看见一个人，他/她很像某位明星（电影明星或体育明星），你如何问他/她的名字。Suppose you see someone in the mall who looks like a (movie or sports) star. How would you ask his/her name?

Lesson 7

Tā zuò shénme gōngzuò

他做什么工作

What does he do

7-1

听录音，然后回答问题：谁最忙？

Who is the busiest? Listen to the recording and then answer the question.

他做什么工作？

他是司机。他很忙。

她做什么工作？

她是记者。她很忙。

他做什么工作？

他是医生。他也很忙。

他做什么工作？

他是经理。他非常忙。

她做什么工作？

她是家庭主妇。

她忙不忙？

她最忙。

New words

7-2

1. 做	zuò	v.	to do
2. 工作	gōngzuò	n.	job, work
3. 司机	sījī	n.	driver
4. 忙	máng	adj.	busy
5. 记者	jìzhě	n.	journalist, reporter
6. 医生	yīshēng	n.	doctor, medical practitioner
7. 非常	fēicháng	adv.	very much, extremely
8. 家庭主妇	jiātíng zhǔfù		housewife
9. 最	zuì	adv.	most, superlatively

Notes

1. 他很忙。

"Subject+Adjective" is one of the basic sentence structures in Chinese. In Chinese, an adjective can directly serve as the predicate of a sentence, usually with an adverb before it, e.g., "他很忙".

2. 她忙不忙?

The juxtaposition of the affirmative and negative forms of a verb or an adjective is a special kind of way to ask questions in Chinese.

Text in pinyin

Tā zuò shénme gōngzuò?
Tā shì sījī. Tā hěn máng.

Tā zuò shénme gōngzuò?
Tā shì jìzhě. Tā hěn máng.

Tā zuò shénme gōngzuò?
Tā shì yīshēng. Tā yě hěn máng.

Tā zuò shénme gōngzuò?
Tā shì jīnglǐ. Tā fēicháng máng.

Tā zuò shénme gōngzuò?
Tā shì jiātíng zhǔfù.

Tā máng bu máng?
Tā zuì máng.

Text in English

What does he do?
He is a driver. He is very busy.

What does she do?
She is a reporter. She is very busy.

What does he do?
He is a doctor. He is very busy, too.

What does he do?
He is a manager. He is extremely busy.

What does she do?
She is a housewife.

Is she busy?
She is the busiest.

Writing Chinese characters

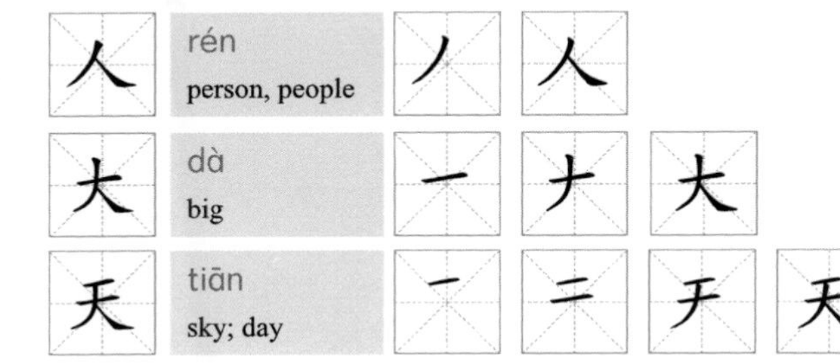

人
rén
person, people
丿
人
大
dà
big
一
ナ
大
天
tiān
sky; day
一
二
チ
天

Lesson 8

Tā hěn máng
她很忙
She is very busy

8-1
8-2

听录音，根据提示词语回答问题。
Listen to the recording and then answer the questions based on the hints given.

jiātíng zhǔfù hěn máng
1. 家庭主妇 很 忙

Tā zuò shénme gōngzuò?
她做什么工作？

Tā shì jiātíng zhǔfù.
她是家庭主妇。

Tā máng bu máng?
她忙不忙？

Tā hěn máng.
她很忙。

fúwùyuán hěn máng
2. 服务员 很 忙

mìshū bù máng
3. 秘书 不 忙

chúshī fēicháng lèi
4. 厨师 非常 累

lǜshī hěn xīnkǔ
5. 律师 很辛苦

yùndòngyuán fēicháng lèi
6. 运动员 非常 累

xuésheng bú kuàilè
7. 学生 不快乐

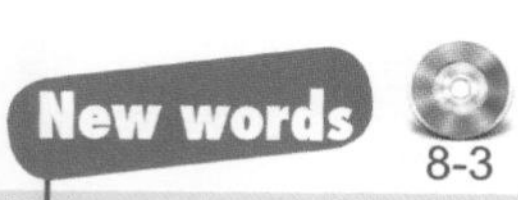

8-3

1. 服务员 fúwùyuán n. attendant, waiter/waitress
2. 秘书 mìshū n. secretary
3. 厨师 chúshī n. chef
4. 累 lèi adj. tired, weary
5. 律师 lǜshī n. lawyer
6. 辛苦 xīnkǔ adj. toilsome, laborious
7. 运动员 yùndòngyuán n. athlete
8. 学生 xuésheng n. student
9. 快乐 kuàilè adj. happy, glad

1. 根据画线部分提问。Ask questions about the underlined parts.

Tā shì Lín Mù. → Tā shì shéi?
（1）他是林木。⟶ 他是谁？

Tā jiào Dàwèi.
（2）他叫大卫。

Tā shì sījī.
（3）他是司机。

Tā shì Zhōngguórén.
（4）她是 中国人。

Tā hěn máng.
（5）他很 忙。

Lǜshī hěn xīnkǔ.
（6）律师很辛苦。

8-4

2. 模仿例子，提问并回答。Ask questions and answer them following the example.

Lín Mù lǜshī xīnkǔ
（1）林木 律师 辛苦

Lín Mù zuò shénme gōngzuò?
林木做什么工作？

Tā shì lǜshī.
他是律师。

Tā xīnkǔ bu xīnkǔ?
他辛苦不辛苦？

Tā hěn xīnkǔ.
他很辛苦。

Sūn Zhōngpíng yīshēng máng
（2）孙中平 医生 忙

Wáng Yùyīng jiātíng zhǔfù lèi
（3）王玉英 家庭主妇 累

Dàwèi xuésheng kuàilè
（4）大卫 学生 快乐

Yú Wénlè fúwùyuán xīnkǔ
（5）于文乐 服务员 辛苦

3. 问两个人，问他们做什么工作，他们觉得自己的工作怎么样。Ask two persons what they do and how they like their jobs.

Tāmen xǐhuan zuò shénme
他们喜欢做什么
What do they like doing

听录音，然后回答问题： 谁喜欢唱歌？
9-1 **Who likes singing?** Listen to the recording and then answer the question.

林木喜欢做什么？

他喜欢打篮球。

王方方喜欢做什么？

她喜欢唱歌。

刘大双喜欢做什么？

他喜欢打太极拳。

她喜欢做什么？

她喜欢上网。

他们喜欢做什么？

他们都喜欢吃中国菜。

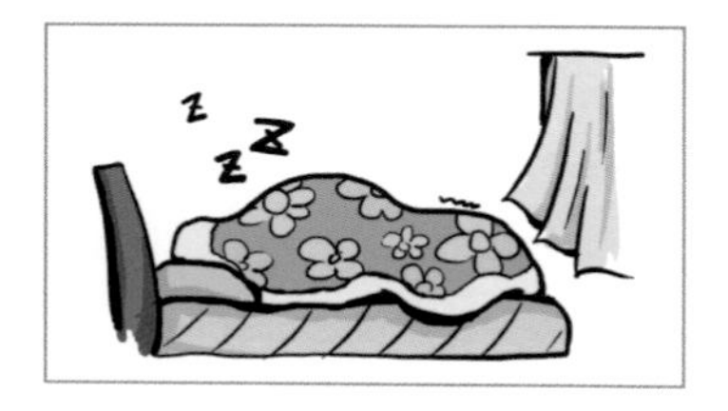

你呢？

我喜欢睡觉。

New words

9-2

1. 喜欢	xǐhuan	v.	to like, to love	-们	men	suf.	*used after a noun to indicate a plural number*
2. 打	dǎ	v.	to hit, to play	8. 都	dōu	adv.	both, all
3. 篮球	lánqiú	n.	basketball	9. 吃	chī	v.	to eat
4. 唱歌	chàng gē	v.	to sing (songs)	10. 中国菜	zhōngguócài	n.	Chinese food
5. 太极拳	tàijíquán	n.	*taijiquan*, a traditional Chinese shadow boxing	11. 呢	ne	part.	*used at the end of a special, alternative or rhetorical question*
6. 上网	shàng wǎng	v.	to surf the Internet	12. 睡觉	shuì jiào	v.	to sleep
7. 他们	tāmen	pron.	they, them				

Notes

1. 他喜欢打篮球。

The object of "喜欢" can be a noun or a verb phrase. For example, "我喜欢中国菜" and "她喜欢上网".

2. 他们都喜欢吃中国菜。

"都" is an adverb used after the subject and before a verb or an adjective to indicate "all".

3. 你呢？

This is an elliptical question, showing what is asked here is the same as the question asked previously. In this context, it means "你喜欢做什么".

Text in pinyin

Lín Mù xǐhuan zuò shénme?
Tā xǐhuan dǎ lánqiú.

Wáng Fāngfāng xǐhuan zuò shénme?
Tā xǐhuan chàng gē.

Liú Dàshuāng xǐhuan zuò shénme?
Tā xǐhuan dǎ tàijíquán.

Tā xǐhuan zuò shénme?
Tā xǐhuan shàng wǎng.

Tāmen xǐhuan zuò shénme?
Tāmen dōu xǐhuan chī zhōngguócài.

Nǐ ne?
Wǒ xǐhuan shuì jiào.

Text in English

What does Lin Mu like doing?
He likes playing basketball.

What does Wang Fangfang like doing?
She likes singing.

What does Liu Dashuang like doing?
He likes practicing *taijiquan*.

What does she like doing?
She likes surfing the Internet.

What do they like doing?
They all like eating Chinese food.

What about you?
I like sleeping.

Writing Chinese characters

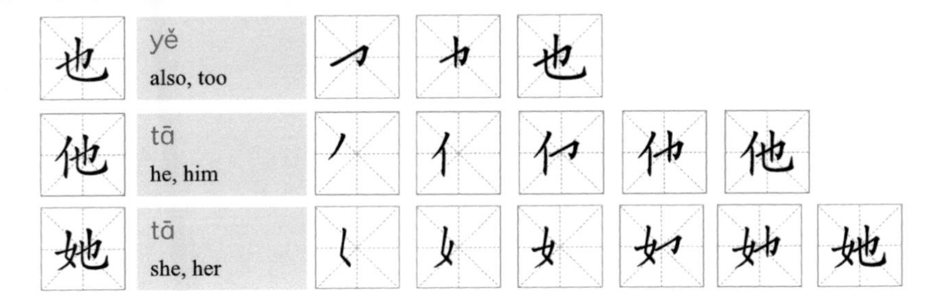

也
yě
also, too
他
tā
he, him
她
tā
she, her

Lesson 10

Wǒ xǐhuan shàng wǎng
我喜欢上网
I like surfing the Internet

10-1
10-2

听录音，根据提示词语回答问题。
Listen to the recording and then answer the questions based on the hints given.

xǐhuan tīng yīnyuè
1. 喜欢 听音乐

Nǐ xǐhuan zuò shénme?
你喜欢做 什么？

Wǒ xǐhuan tīng yīnyuè.
我喜欢 听 音乐。

xǐhuan jiànshēn
2. 喜欢 健身

bù xǐhuan hē chá
3. 不喜欢 喝茶

bù xǐhuan kàn diànshì
4. 不喜欢 看 电视
xǐhuan kàn diànyǐng
喜欢 看 电影

bù xǐhuan kàn bàozhǐ
5. 不喜欢 看 报纸
xǐhuan dú shū
喜欢 读书

xǐhuan shàng wǎng
6. 喜欢 上 网
xǐhuan xiě wēibó
喜欢 写微博

xǐhuan kàn diànyǐng
7. 喜欢 看 电影
yě xǐhuan kàn jīngjù
也 喜欢 看京剧

New words

10-3

1. 听 tīng v. to listen
2. 音乐 yīnyuè n. music
3. 健身 jiànshēn v. to do physical exercises
4. 喝 hē v. to drink
5. 茶 chá n. tea
6. 看 kàn v. to see, to read
7. 电视 diànshì n. television
8. 电影 diànyǐng n. movie
9. 报纸 bàozhǐ n. newspaper
10. 读 dú v. to read
11. 书 shū n. book
12. 写 xiě v. to write
13. 微博 wēibó n. microblog
14. 京剧 jīngjù n. Beijing opera

Exercises

1. **连线。** Match the verbs with their objects.

（1）xìng 姓	bàozhǐ 报纸	（6）hē 喝	tàijíquán 太极拳
（2）jiào 叫	wǎng 网	（7）chī 吃	chá 茶
（3）kàn 看	Lín 林	（8）dǎ 打	yīnyuè 音乐
（4）dǎ 打	Wáng Fāngfāng 王 方方	（9）tīng 听	diànshì 电视
（5）shàng 上	lánqiú 篮球	（10）kàn 看	zhōngguócài 中国菜

10-4

2. **模仿例子，提问并回答。** Ask questions and answer them following the example.

（1）kàn diànyǐng 看 电影　xiě wēibó 写微博

Tā xǐhuan kàn diànyǐng ma?
他喜欢看 电影 吗？

Bù xǐhuan.
不喜欢。

Tā xǐhuan zuò shénme?
他喜欢做 什么？

Tā xǐhuan xiě wēibó.
他喜欢写微博。

（2）kàn bàozhǐ 看报纸　dú shū 读书

（3）kàn diànshì 看电视　kàn diànyǐng 看 电影

（4）jiànshēn 健身　shàng wǎng 上 网

（5）chàng gē 唱 歌　tīng yīnyuè 听 音乐

3. **介绍一下你们国家的年轻人喜欢做什么。** Talk about what young people in your country like doing.

Wǒ yǒu yí ge jiějie
我有一个姐姐
I have an elder sister

11-1

听录音，然后回答问题： 王方方有没有男朋友？
Does Wang Fangfang have a boyfriend? Listen to the recording and then answer the question.

我叫王方方。

我爸爸是经理，他很忙。

我妈妈是家庭主妇，她很漂亮。

她有很多漂亮的衣服。

我没有哥哥，有一个姐姐。

我姐姐有男朋友，她喜欢约会。

我没有男朋友，我喜欢上网。

New words

11-2

1. 爸爸	bàba	n.	dad, father
2. 妈妈	māma	n.	mom, mother
3. 漂亮	piàoliang	adj.	beautiful, pretty
4. 有	yǒu	v.	to have
5. 多	duō	adj.	many, much
6. 衣服	yīfu	n.	clothes
7. 没有	méiyǒu	v.	not to have, there is not
8. 哥哥	gēge	n.	elder brother
9. 一	yī	num.	one
10. 个	gè	m.	*used before a noun having no particular measure word*
11. 姐姐	jiějie	n.	elder sister
12. 男朋友	nánpéngyou	n.	boyfriend
13. 约会	yuēhuì	v.	to date (sb.)

Notes

1. 她有很多漂亮的衣服。

"有" in this sentence means "to have".

2. 我没有哥哥

"没有" is the negative form of the verb "有".

3. 一个姐姐

In Chinese, there needs to be a measure word between a numeral and a noun. Different nouns have different measure words to match with. "个" is the most widely used measure word.

Text in pinyin

Wǒ jiào Wáng Fāngfāng.

Wǒ bàba shì jīnglǐ, tā hěn máng.

Wǒ māma shì jiātíng zhǔfù, tā hěn piàoliang.
Tā yǒu hěn duō piàoliang de yīfu.

Wǒ méiyǒu gēge, yǒu yí ge jiějie.
Wǒ jiějie yǒu nánpéngyou, tā xǐhuan yuēhuì.

Wǒ méiyǒu nánpéngyou, wǒ xǐhuan shàng wǎng.

Text in English

My name is Wang Fangfang.

My father is a manager. He is very busy.

My mother is a housewife. She is very beautiful.
She has a lot of beautiful clothes.

I don't have an elder brother, but I have an elder sister.
My elder sister has a boyfriend. She likes going out with him.

I don't have a boyfriend. I like surfing the Internet.

Writing Chinese characters

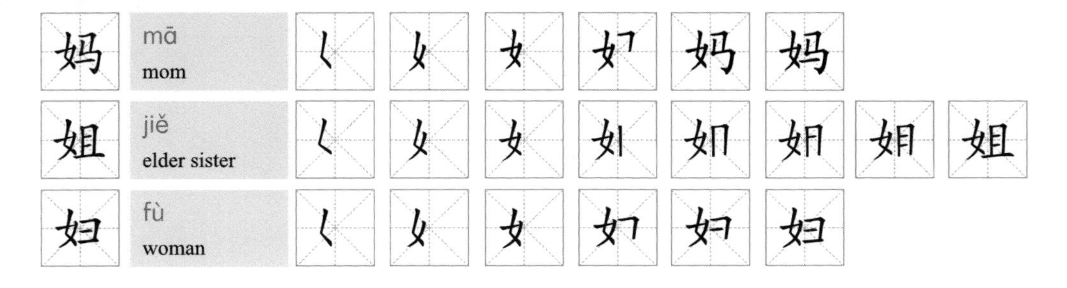

Lesson 12

Tā jiā yǒu jǐ kǒu rén
他家有几口人
How many people are there in his family

12-1
12-2

听录音，根据提示词语回答问题。
Listen to the recording and then answer the questions based on the hints given.

yí ge jiějie
1. 一个 姐姐

Tā yǒu jiějie ma?
她有姐姐吗？

Tā yǒu jiějie.
她有姐姐。

Tā yǒu jǐ ge jiějie?
她有几个姐姐？

Tā yǒu yí ge jiějie.
她有一个姐姐。

yí ge dìdi
2. 一个 弟弟

liǎng ge mèimei
3. 两 个 妹妹

méiyǒu gēge
4. 没有 哥哥

méiyǒu nánpéngyou
5. 没有 男朋友

tā jiā wǔ kǒu
6. 他家 五口

Tā jiā yǒu jǐ kǒu rén?
他家有几口人？

tā jiā sān kǒu
7. 她家 三口

Tā jiā yǒu jǐ kǒu rén?
她家有几口人？

12-3

1. 几 jǐ num. how many
2. 弟弟 dìdi n. younger brother
3. 两 liǎng num. two
4. 妹妹 mèimei n. younger sister
5. 家 jiā n. family
6. 五 wǔ num. five
7. 口 kǒu m. *used for people, animals, etc.*
8. 人 rén n. person, people
9. 三 sān num. three

Exercises

12-4

1. **听录音，跟读数字，试着说出省略的数字。** Listen to the recording and read the numbers following it. Then try to say the numbers that are missing.

yī	èr	sān	sì	wǔ	liù	qī	bā	jiǔ	shí	líng
一	二	三	四	五	六	七	八	九	十	零
1	2	3	4	5	6	7	8	9	10	0

shíyī	shí'èr		shíjiǔ	èrshí	èrshíyī		èrshísān		èrshíjiǔ	sānshí
十一	十二	……	十九	二十	二十一	……	二十三	……	二十九	三十
11	12	……	19	20	21	……	23	……	29	30

wǔshíyī		wǔshísì		wǔshíjiǔ	liùshí	jiǔshíyī	jiǔshí'èr		jiǔshíjiǔ
五十一	……	五十四	……	五十九	六十	九十一	九十二	……	九十九
51	……	54	……	59	60	91	92	……	99

12-5

2. **模仿例子，提问并回答。** Ask questions and answer them following the example.

(1) nǐ gēge jiějie
你 哥哥 姐姐

Nǐ yǒu méiyǒu gēge?
你有没有哥哥？

Wǒ méiyǒu gēge.
我没有哥哥。

Nǐ yǒu jiějie ma?
你有姐姐吗？

Wǒ yǒu jiějie.
我有姐姐。

(2) Liú Dàshuāng jiějie dìdi
刘大双 姐姐 弟弟

(3) Zhāng lǎoshī gēge mèimei
张老师 哥哥 妹妹

(4) Wáng Fāngfāng nánpéngyou jiějie
王方方 男朋友 姐姐

(5) Dàwèi bàozhǐ shū
大卫 报纸 书

3. **跟朋友谈谈彼此的家庭成员，说说家里有几口人、都有谁、他们做什么工作、他们忙不忙。** Talk with your friend about each other's family members. Tell each other the number of your family members, who they are, what they do and whether or not they are busy.

Lesson 13

Wǒ de yàoshi zài nǎr

我的钥匙在哪儿

Where is my key

13-1

听录音，然后回答问题：丈夫的钥匙在哪儿？

Where is the husband's key? Listen to the recording and then answer the question.

丈夫：我的钥匙在哪儿？

妻子：钥匙在桌子上。

丈夫：钥匙不在桌子上。

妻子：钥匙在不在沙发上？

丈夫：不在沙发上。

妻子：在不在沙发下边？

丈夫：也不在沙发下边。

妻子：在不在电话旁边？

丈夫：不在电话旁边。

妻子：你手里是什么？

丈夫：……

New words

13-2

1. 丈夫 zhàngfu n. husband
2. 钥匙 yàoshi n. key
3. 在 zài v. to be in/on/at
4. 哪儿 nǎr pron. where
5. 妻子 qīzi n. wife
6. 桌子 zhuōzi n. table, desk
7. 上 shàng n. on (the surface of sth.)
8. 沙发 shāfā n. sofa
9. 下边 xiàbian n. under, below
10. 电话 diànhuà n. telephone
11. 旁边 pángbiān n. beside, side
12. 手 shǒu n. hand
13. 里 lǐ n. inside, in

Notes

1. 钥匙在桌子上。

"Noun Phrase+在+Locative Phrase" indicates the location of something. If a common noun (such as "桌子") is used as the location, it should be followed by a word related to direction/locality. For example, "桌子上", "沙发下边" and "电话旁边".

2. 钥匙不在桌子上。

"不在" is the negative form of the verb "在".

Text in pinyin

Zhàngfu: Wǒ de yàoshi zài nǎr?
Qīzi: Yàoshi zài zhuōzi shang.

Zhàngfu: Yàoshi bú zài zhuōzi shang.

Qīzi: Yàoshi zài bu zài shāfā shang?
Zhàngfu: Bú zài shāfā shang.

Qīzi: Zài bu zài shāfā xiàbian?
Zhàngfu: Yě bú zài shāfā xiàbian.

Qīzi: Zài bu zài diànhuà pángbiān?
Zhàngfu: Bú zài diànhuà pángbiān.

Qīzi: Nǐ shǒu li shì shénme?
Zhàngfu: ……

Text in English

Husband: Where is my key?
Wife: Your key is on the table.

Husband: No, it isn't on the table.

Wife: Is it on the sofa?
Husband: No, it isn't.

Wife: Is it under the sofa?
Husband: No, it isn't, either.

Wife: Is it beside the telephone?
Husband: No, it isn't.

Wife: What's in your hand?
Husband: ...

Writing Chinese characters

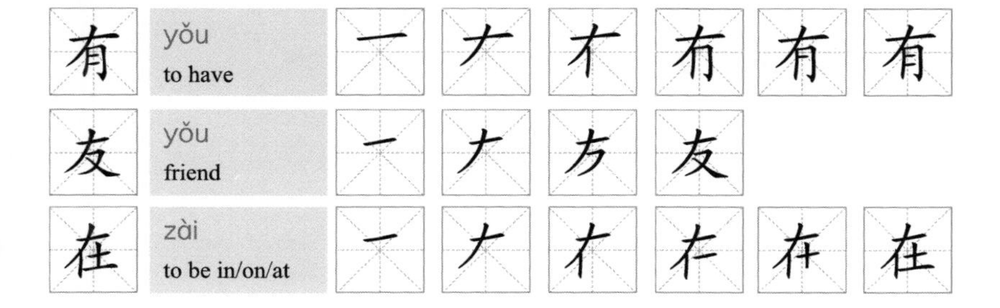

有
yǒu
to have
友
yǒu
friend
在
zài
to be in/on/at

Bàozhǐ zài diànnǎo pángbiān
报纸在电脑旁边
The newspaper is beside the computer

14-1
14-2

听录音，根据提示词语回答问题。
Listen to the recording and then answer the questions based on the hints given.

1. yàoshi 钥匙　tā 他　shǒu li 手里

Yàoshi zài nǎr?
钥匙在哪儿？

Yàoshi zài tā shǒu li.
钥匙在他手里。

2. cānzhuō 餐桌　shāfā 沙发　qiánbian 前边

3. shūguì 书柜　shāfā 沙发　hòubian 后边

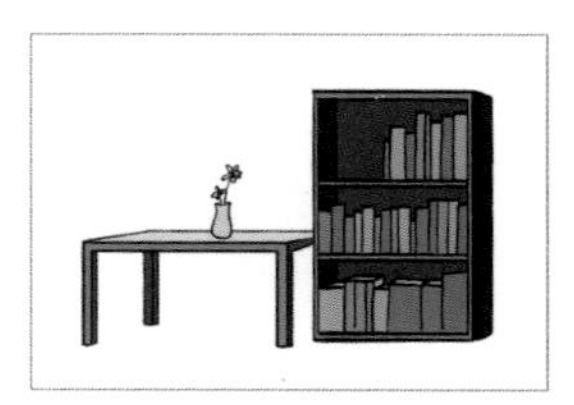

4. zhuōzi 桌子　shūguì 书柜　zuǒbian 左边

5. diànhuà 电话　diànnǎo 电脑　yòubian 右边

6. chá 茶　zhuōzi 桌子　shang 上

7. lánqiú 篮球　yǐzi 椅子　xiàbian 下边

8. māma de yīfu 妈妈的衣服　yīguì 衣柜　li 里

9. bàozhǐ 报纸　diànnǎo 电脑　pángbiān 旁边

10. tā de shū 她的书　zhuōzi 桌子　shang 上

New words

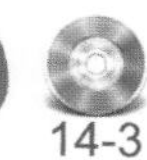

14-3

1. 餐桌	cānzhuō	n.	dining table	6. 电脑	diànnǎo	n.	computer
2. 前边	qiánbian	n.	front	7. 右边	yòubian	n.	right (side)
3. 书柜	shūguì	n.	bookcase	8. 椅子	yǐzi	n.	chair
4. 后边	hòubian	n.	back	9. 衣柜	yīguì	n.	wardrobe
5. 左边	zuǒbian	n.	left (side)				

Exercises

1. 模仿例子组句。Rearrange the words and expressions to make sentences following the example.

(1) 餐桌 (cānzhuō) 哪儿 (nǎr) 在 (zài)

Cānzhuō zài nǎr?
餐桌 在哪儿?

(2) 在 (zài) 哪儿 (nǎr) 茶 (chá)

(3) 沙发上边 (shāfā shàngbian) 你的快递 (nǐ de kuàidì) 在 (zài)

(4) 钥匙 (yàoshi) 不 (bú) 他 (tā) 手里 (shǒu li) 在 (zài)

(5) 在 (zài) 吗 (ma) 桌子上 (zhuōzi shang) 书 (shū)

(6) 电视旁边 (diànshì pángbiān) 在不在 (zài bu zài) 报纸 (bàozhǐ)

2. 模仿例子，提问并回答。Ask questions and answer them following the example.

14-4

(1) 钥匙 (yàoshi) 桌子上 (zhuōzi shang) 椅子上 (yǐzi shang)

Yàoshi zài bu zài zhuōzi shang?
钥匙在不在桌子上?

Yàoshi bú zài zhuōzi shang.
钥匙不在桌子 上。

Yàoshi zài nǎr?
钥匙在哪儿?

Yàoshi zài yǐzi shang.
钥匙在椅子上。

(2) 丈夫的书 (zhàngfu de shū) 桌子上 (zhuōzi shang) 沙发上 (shāfā shang)

(3) 报纸 (bàozhǐ) 餐桌上 (cānzhuō shang) 电脑旁边 (diànnǎo pángbiān)

(4) 爸爸的茶 (bàba de chá) 电视旁边 (diànshì pángbiān) 电话旁边 (diànhuà pángbiān)

(5) 我的衣服 (wǒ de yīfu) 沙发上 (shāfā shang) 衣柜里 (yīguì li)

(6) 电话 (diànhuà) 电脑左边 (diànnǎo zuǒbian) 电脑右边 (diànnǎo yòubian)

3. 说说你房间里家具的位置。Talk about the location of each piece of furniture in your room.

Zhè tiáo hóngsè de qúnzi hǎokàn ma

这条红色的裙子好看吗

Does this red dress look good

15-1

听录音，然后回答问题：丈夫觉得妻子的衣服好看吗？
Does the husband think his wife's clothes look nice on her or not? Listen to the recording and then answer the question.

妻子：这条红色的裙子好看吗？

丈夫：好看。

妻子：这条白色的裙子好看吗？

丈夫：好看。

妻子：这条黄色的裙子呢？

丈夫：好看。

妻子：这件绿色的大衣怎么样？

丈夫：好看。

妻子：这件蓝色的大衣呢？

丈夫：好看。

妻子：你看没看？

丈夫：你穿什么都好看。

New words

15-2

1. 条 tiáo m. *used for sth. narrow or thin and long*
2. 红色 hóngsè n. red
3. 裙子 qúnzi n. skirt, dress
4. 好看 hǎokàn adj. good-looking
5. 白色 báisè n. white
6. 黄色 huángsè n. yellow
7. 件 jiàn m. piece
8. 绿色 lǜsè n. green
9. 大衣 dàyī n. coat, overcoat
10. 怎么样 zěnmeyàng pron. (*inquiring about nature, condition, etc.*) how
11. 蓝色 lánsè n. blue
12. 没 méi adv. (*denying the occurrence of an action*) not
13. 穿 chuān v. to wear, to put on

Notes

1. 这条红色的裙子好看吗？

"的" is a particle used between a modifier/qualifier and the noun it modifies or qualifies. For example, "红色的裙子", "漂亮的衣服" and "我的大衣".

2. 这件绿色的大衣怎么样？

"怎么样" is often used to ask about the adjective phrase in the structure "Noun Phrase+Adjective Phrase", e.g., "这件大衣怎么样". The answer to it can be "这件大衣很好看/不好看".

3. 你穿什么都好看。

Here, "什么" means "all". This sentence is a compliment made by the husband to his wife, saying that she looks good in everything she wears.

Text in pinyin

Qīzi: Zhè tiáo hóngsè de qúnzi hǎokàn ma?
Zhàngfu: Hǎokàn.

Qīzi: Zhè tiáo báisè de qúnzi hǎokàn ma?
Zhàngfu: Hǎokàn.

Qīzi: Zhè tiáo huángsè de qúnzi ne?
Zhàngfu: Hǎokàn.

Qīzi: Zhè jiàn lǜsè de dàyī zěnmeyàng?
Zhàngfu: Hǎokàn.

Qīzi: Zhè jiàn lánsè de dàyī ne?
Zhàngfu: Hǎokàn.

Qīzi: Nǐ kàn méi kàn?
Zhàngfu: Nǐ chuān shénme dōu hǎokàn.

Text in English

Wife: Does this red dress look good?
Husband: Yes, it does.

Wife: Does this white dress look good?
Husband: Yes, it does.

Wife: What about this yellow dress?
Husband: It's good.

Wife: What do you think of the green coat?
Husband: Very nice.

Wife: And this blue coat?
Husband: It's great.

Wife: Did you look at them or not?
Husband: Everything looks good on you.

Writing Chinese characters

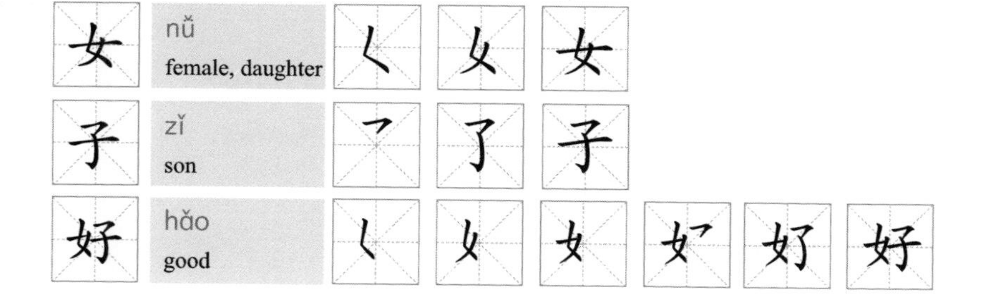

女
nǚ
female, daughter
子
zǐ
son
好
hǎo
good

Lesson 16

Zhège huángsè de shāfā hěn shūfu
这个黄色的沙发很舒服
This yellow sofa is very comfortable

听录音，根据提示词语回答问题。
Listen to the recording and then answer the questions based on the hints given.

16-1
16-2

tiáo hóngsè qúnzi hěn hǎokàn
1. 条 红色 裙子 很好看

Zhè tiáo hóngsè de qúnzi hǎokàn ma?
这条红色的裙子好看吗？

Zhè tiáo hóngsè de qúnzi hěn hǎokàn.
这条红色的裙子很好看。

shuāng zōngsè xié
2. 双 棕色 鞋
hěn shūfu
很舒服

tiáo lánsè kùzi
3. 条 蓝色 裤子
hěn hǎokàn
很好看

tiáo lǜsè qúnzi
4. 条 绿色 裙子
hěn piàoliang
很漂亮

jiàn huīsè chènyī
5. 件 灰色 衬衣
hěn hǎokàn
很好看

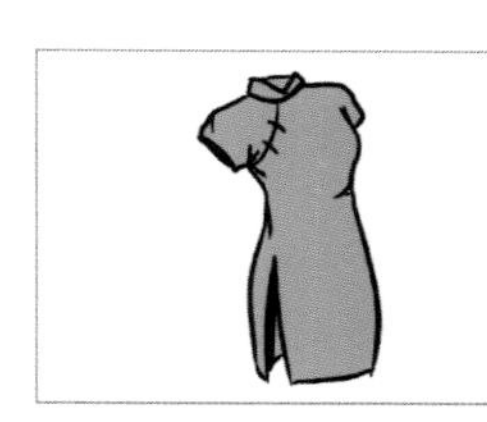

jiàn lánsè qípáo
6. 件 蓝色 旗袍
bù hǎokàn
不好看

jiàn hóngsè dàyī
7. 件 红色 大衣
hěn piàoliang
很漂亮

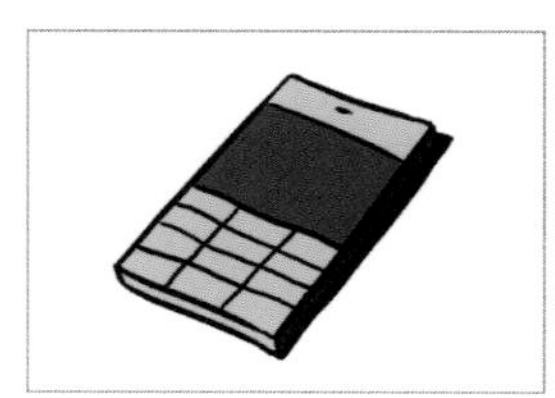

gè hēisè shǒujī
8. 个 黑色 手机
bù hǎokàn
不好看

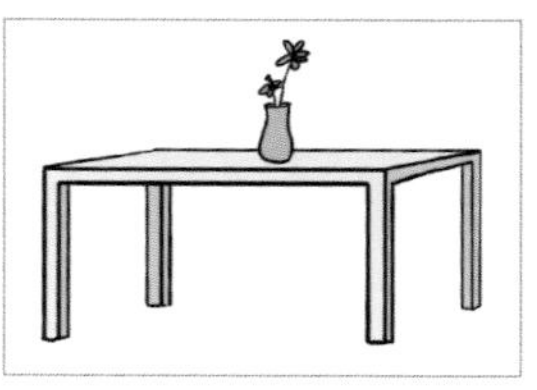

gè báisè cānzhuō
9. 个 白色 餐桌
piàoliang
漂亮

gè huángsè shāfā
10. 个 黄色 沙发
hěn shūfu
很舒服

New words

16-3

1.	双	shuāng	m.	pair
2.	棕色	zōngsè	n.	brown
3.	鞋	xié	n.	shoes
4.	舒服	shūfu	adj.	comfortable
5.	裤子	kùzi	n.	trousers, pants
6.	灰色	huīsè	n.	grey
7.	衬衣	chènyī	n.	shirt, blouse
8.	旗袍	qípáo	n.	cheongsam
9.	黑色	hēisè	n.	black
10.	手机	shǒujī	n.	cell phone

Exercises

1. **选择填空。** Choose the correct word for each blank.

tiáo　jiàn　shuāng　gè
a. 条　b. 件　c. 双　d.个

(1) yì 一 (a) qúnzi 裙子
(2) yí 一 (　) qípáo 旗袍
(3) zhè 这 (　) xié 鞋
(4) nà 那 (　) chènyī 衬衣
(5) sān 三 (　) kùzi 裤子
(6) shí 十 (　) dàyī 大衣
(7) yí 一 (　) shāfā 沙发
(8) sān 三 (　) shǒujī 手机

16-4

2. **模仿例子，提问并回答。** Ask questions and answer them following the example.

(1) zhè tiáo　lánsè　qúnzi　hǎokàn
这条　蓝色　裙子　好看

Zhè tiáo lánsè de qúnzi zěnmeyàng?
这条蓝色的裙子怎么样?

Zhè tiáo lánsè de qúnzi hěn hǎokàn.
这条蓝色的裙子很好看。

(2) nà shuāng　hóngsè　xié　hěn shūfu
那双　红色　鞋　很舒服

(3) zhè jiàn　huīsè　dàyī　bù hǎokàn
这件　灰色　大衣　不好看

(4) zhè jiàn　lǜsè　qípáo　hěn piàoliang
这件　绿色　旗袍　很漂亮

(5) nàge　lánsè　shāfā　bù shūfu
那个　蓝色　沙发　不舒服

(6) nà jiàn　huángsè　chènyī　bú piàoliang
那件　黄色　衬衣　不漂亮

3. **说说你或者你的好朋友喜欢什么颜色的衣服。** Talk about what color clothes you or your good friend like.

Chūn Jié shì nónglì Yīyuè yī rì
春节是农历一月一日
The Spring Festival is on the first day of the first lunar month

17-1

听录音，然后回答问题： 2012年中国情人节是哪天？
Which date does the Chinese Valentine's Day fall on in 2012? Listen to the recording and then answer the question.

阿里：老师，中国有哪些传统节日？

老师：中国有春节、元宵节、中秋节……

阿里：春节是几月几日？

老师：春节是农历1月1日。

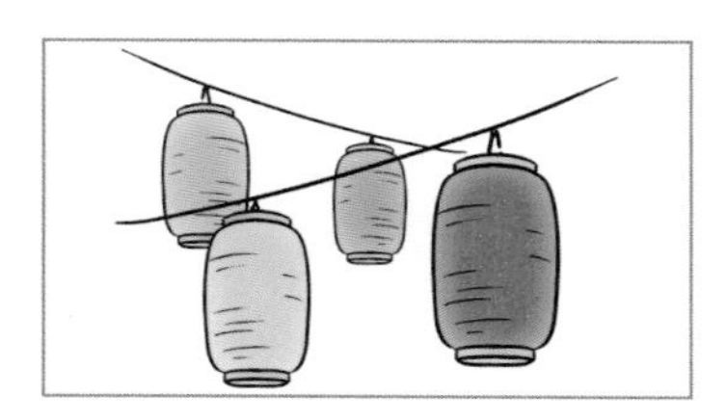

阿里：元宵节是几月几日？

老师：元宵节是农历1月15日。

阿里：中秋节呢？

老师：中秋节是农历8月15日。

阿里：中国有情人节吗？

老师：有，中国的情人节是农历7月7日。

阿里：2012年中国情人节是哪天？

老师：是2012年8月23日，星期四。

New words

17-2

1. 哪些	nǎxiē	pron.	which (*plural*)	8. 月	yuè	n.	month; moon
2. 传统	chuántǒng	adj.	traditional	9. 日	rì	n.	day; sun
3. 节日	jiérì	n.	festival	10. 农历	nónglì	n.	Chinese lunar calendar
4. 春节	Chūn Jié	p.n.	Spring Festival	11. 情人节	Qíngrén Jié	p.n.	Valentine's Day
5. 元宵节	Yuánxiāo Jié	p.n.	Lantern Festival	12. 年	nián	n.	year
6. 中秋节	Zhōngqiū Jié	p.n.	Mid-Autumn Festival	13. 天	tiān	n.	day; sky
7. 几	jǐ	num.	what	14. 星期四	Xīngqīsì	p.n.	Thursday

Notes

1. 中国有春节、元宵节、中秋节……

Spring Festival, the New Year's Day in Chinese lunar calendar, is the most important traditional festival in China. Lantern Festival, the fifteenth day of the first lunar month, is the day on which people see festive lanterns and eat glutinous rice balls. Mid-Autumn Festival is the day when family members gather together to enjoy the full moon and eat moon cakes.

2. 春节是农历1月1日。

The lunar calendar, one of the traditional Chinese calendars, is still in use today. It is different from the Gregorian calendar.

3. 2012年8月23日

In Chinese, the order of the elements in a date is year/month/day.

Text in pinyin

Ālǐ: Lǎoshī, Zhōngguó yǒu nǎxiē chuántǒng jiérì?
Lǎoshī: Zhōngguó yǒu Chūn Jié、Yuánxiāo Jié、Zhōngqiū Jié……

Ālǐ: Chūn Jié shì jǐ yuè jǐ rì?
Lǎoshī: Chūn Jié shì nónglì Yīyuè yī rì.

Ālǐ: Yuánxiāo Jié shì jǐ yuè jǐ rì?
Lǎoshī: Yuánxiāo Jié shì nónglì Yīyuè shíwǔ rì.

Ālǐ: Zhōngqiū Jié ne?
Lǎoshī: Zhōngqiū Jié shì nónglì Bāyuè shíwǔ rì.

Ālǐ: Zhōngguó yǒu Qíngrén Jié ma?
Lǎoshī: Yǒu, Zhōngguó de Qíngrén Jié shì nónglì Qīyuè qī rì.

Ālǐ: Èr líng yī èr nián Zhōngguó Qíngrén Jié shì nǎ tiān?
Lǎoshī: Shì èr líng yī èr nián Bāyuè èrshísān rì, Xīngqīsì.

Text in English

Ali: Teacher, what traditional festivals are there in China?
Teacher: There are the Spring Festival, Lantern Festival, Mid-Autumn Festival and so on.

Ali: When is the Spring Festival?
Teacher: The Spring Festival is on the first day of the first lunar month.

Ali: When is the Lantern Festival?
Teacher: The Lantern Festival is on the fifteenth day of the first lunar month.

Ali: What about the Mid-Autumn Festival?
Teacher: The Mid-Autumn Festival is on the fifteenth day of the eighth lunar month.

Ali: Is there a Valentine's Day in China?
Teacher: Yes. The Chinese Valentine's Day is on the seventh day of the seventh lunar month.

Ali: Which date does the Chinese Valentine's Day fall on in 2012?
Teacher: It falls on August 23rd, 2012. It's a Thursday.

Writing Chinese characters

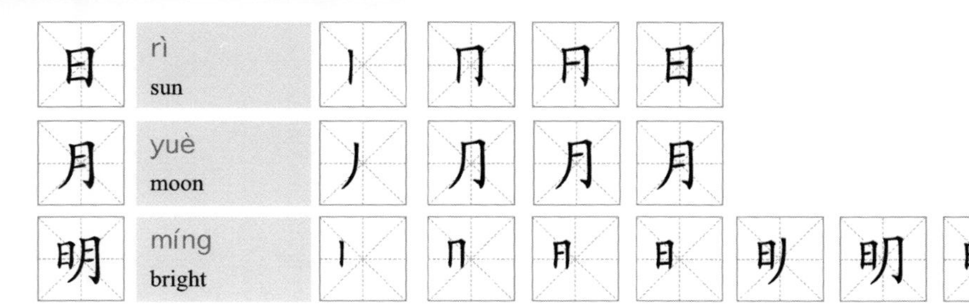

Lesson 18

Yuánxiāo Jié shì jǐ yuè jǐ rì
元宵节是几月几日
When is the Lantern Festival

听录音，根据提示词语回答问题。
Listen to the recording and then answer the questions based on the hints given.

18-1
18-2

Chūn Jié nónglì Yīyuè yī rì
1. 春节 农历1月1日

Chūn Jié shì jǐ yuè jǐ rì?
春节是几月几日？

Chūn Jié shì nónglì Yīyuè yī rì.
春节是农历1月1日。

Yuánxiāo Jié
2. 元宵节
nónglì Yīyuè shíwǔ rì
农历1月15日

Láodòng Jié
3. 劳动节
Wǔyuè yī hào
5月1号

jīnnián Fùhuó Jié
4. 今年 复活节
Sìyuè bā hào
4月8号

èr líng yī wǔ nián Fùqīn Jié
5. 2015年 父亲节
Liùyuè èrshíyī hào
6月21号

Mǔqīn Jié Xīngqītiān
6. 母亲节 星期天

jīnnián Shèngdàn Jié
7. 今年 圣诞节
Xīngqī'èr
星期二

New words

18-3

1. 劳动节	Láodòng Jié	p.n.	May Day
2. 号	hào	n.	*used after numerals to indicate date of month*
3. 今年	jīnnián	n.	this year
4. 复活节	Fùhuó Jié	p.n.	Easter
5. 父亲节	Fùqīn Jié	p.n.	Father's Day
6. 母亲节	Mǔqīn Jié	p.n.	Mother's Day
7. 星期几	xīngqī jǐ		certain day of the week
8. 星期天	Xīngqītiān	p.n.	Sunday
9. 圣诞节	Shèngdàn Jié	p.n.	Christmas Day
10. 星期二	Xīngqī'èr	p.n.	Tuesday

Exercises

18-4

1. 听录音并跟读，然后连线。 Listen to the recording and read after it. Then match the Chinese words with the English abbreviations.

(1)

Yīyuè 一月	May
Èryuè 二月	Apr.
Sānyuè 三月	Jan.
Sìyuè 四月	Mar.
Wǔyuè 五月	Jun.
Liùyuè 六月	Feb.

(2)

Qīyuè 七月	Jul.
Bāyuè 八月	Nov.
Jiǔyuè 九月	Aug.
Shíyuè 十月	Dec.
Shíyīyuè 十一月	Oct.
Shí'èryuè 十二月	Sep.

(3)

Xīngqīyī 星期一	Thu.
Xīngqī'èr 星期二	Tue.
Xīngqīsān 星期三	Sun.
Xīngqīsì 星期四	Mon.
Xīngqīwǔ 星期五	Wed.
Xīngqīliù 星期六	Fri.
Xīngqītiān/rì 星期天/日	Sat.

18-5

2. 模仿例子，提问并回答。 Ask questions and answer them following the example.

(1) èr líng yī liù nián 2016年　Chūn Jié 春节　Èryuè bā hào 2月8号　Xīngqīyī 星期一

Èr líng yī liù nián Chūn Jié shì jǐ yuè jǐ hào? xīngqī jǐ?
2016年春节是几月几号？星期几？

Èr líng yī liù nián Chūn Jié shì Èryuè bā hào, Xīngqīyī.
2016年春节是2月8号，星期一。

(2) èr líng yī qī nián 2017年　Yuánxiāo Jié 元宵节　Èryuè shíyī hào 2月11号　Xīngqīliù 星期六

(3) èr líng yī bā nián 2018年　Zhōngqiū Jié 中秋节　Jiǔyuè èrshísì hào 9月24号　Xīngqīyī 星期一

(4) jīnnián 今年　Zhōngguó Qíngrén Jié 中国情人节　Bāyuè èrshísān hào 8月23号　Xīngqīsì 星期四

3. 说说你们国家有哪些传统节日，它们是哪天。 Talk about the traditional festivals in your country. Say the dates of them.

Lesson 19

Xiànjīn háishi shuā kǎ

现金还是刷卡

Would you like to pay by cash or card

19-1

听录音，然后回答问题：他要了什么？

What did he order? Listen to the recording and then answer the question.

服务员：请问，您要什么？

林　木：我要一碗面条儿。

服务员：您要大碗的还是小碗的？

林　木：大碗的。

服务员：辣的还是不辣的？

林　木：不辣的。

林　木：再要一杯豆浆。

服务员：要热的还是凉的？

林　木：凉的。

服务员：一共五十块。现金还是刷卡？

林　木：刷卡。

New words

19-2

1. 要	yào	v.	to want, to ask for
2. 碗	wǎn	n.	bowl
3. 面条儿	miàntiáor	n.	noodles
4. 大	dà	adj.	big
5. 还是	háishi	conj.	or
6. 小	xiǎo	adj.	small
7. 辣	là	adj.	spicy, hot
8. 再	zài	adv.	in addition
9. 杯	bēi	n.	cup, glass
10. 豆浆	dòujiāng	n.	soybean milk
11. 热	rè	adj.	hot, warm
12. 凉	liáng	adj.	cold, cool
13. 一共	yígòng	adv.	in total, altogether
14. 块	kuài	m.	*kuai, a unit of money* (=*yuan*)
15. 现金	xiànjīn	n.	cash
16. 刷卡	shuā kǎ	v.	to swipe/use a card

Notes

1. 我要一碗面条儿。

In Chinese, some nouns can be used as measure words, such as "碗" in "一碗面条儿" and "杯" in "一杯豆浆".

2. 您要大碗的还是小碗的？

"A还是B", meaning "A or B", is a way to ask questions in Chinese. It asks the other party to make a choice.

3. 您要大碗的还是小碗的？

A noun or an adjective with the particle "的" behind it is used the same as a noun. For example, in the text, "大碗的" means "大碗的面条儿", and "热的" means "热的豆浆".

Text in pinyin

Fúwùyuán: Qǐngwèn, nín yào shénme?
Lín Mù: Wǒ yào yì wǎn miàntiáor.

Fúwùyuán: Nín yào dà wǎn de háishi xiǎo wǎn de?
Lín Mù: Dà wǎn de.

Fúwùyuán: Là de háishi bú là de?
Lín Mù: Bú là de.

Lín Mù: Zài yào yì bēi dòujiāng.
Fúwùyuán: Yào rè de háishi liáng de?
Lín Mù: Liáng de.

Fúwùyuán: Yígòng wǔshí kuài. Xiànjīn háishi shuā kǎ?
Lín Mù: Shuā kǎ.

Text in English

Waitress: Excuse me, what would you like?
Lin Mu: I'd like a bowl of noodles.

Waitress: Big bowl or small bowl?
Lin Mu: Big.

Waitress: Spicy or not?
Lin Mu: No, not spicy.

Lin Mu: I want a glass of soybean milk also.
Waitress: Hot or cold?
Lin Mu: Cold, please.

Waitress: 50 *kuai* in total. Would you like to pay by cash or card?
Lin Mu: By card.

Writing Chinese characters

不	bù no, not	一 丆 不 不
杯	bēi cup, glass	一 十 才 木 木 杉 杯 杯
还	hái still	一 丆 不 不 不 还 还

Nín yào dà de háishi xiǎo de
您要大的还是小的
Do you want a big one or a small one

20-1
20-2

听录音，根据提示词语回答问题。
Listen to the recording and then answer the questions based on the hints given.

yì wǎn　miàntiáor　dà wǎn de　xiǎo wǎn de
1. 一碗　面条儿　大碗的　小碗的

Qǐngwèn, nín yào shénme?
请问，您要什么？

Wǒ yào yì wǎn miàntiáor.
我要一碗面条儿。

Nín yào dà wǎn de háishi xiǎo wǎn de?
您要大碗的还是小碗的？

Dà wǎn de.
大碗的。

yí ge　hànbǎo
2. 一个　汉堡

dà de　xiǎo de
大的　小的

yí ge　bǐsàbǐng
3. 一个　比萨饼

dà de　xiǎo de
大的　小的

yì bēi　shuǐ
4. 一杯　水

liáng de　rè de
凉的　热的

yì bēi　dòujiāng
5. 一杯　豆浆

tián de　xián de
甜的　咸的

yí ge　hànbǎo
6. 一个　汉堡

là de　bú là de
辣的　不辣的

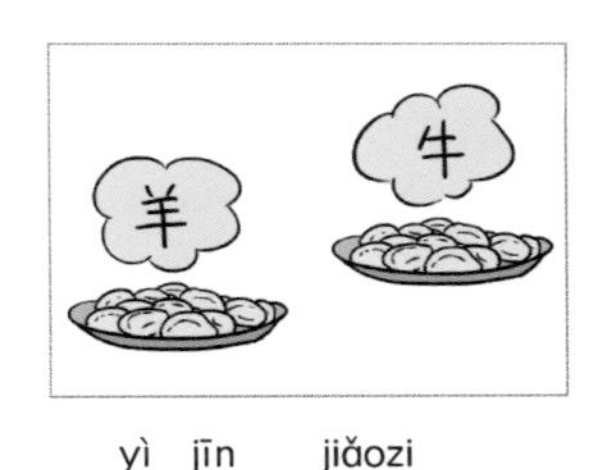

yì jīn　jiǎozi
7. 一斤　饺子

yángròu de　niúròu de
羊肉的　牛肉的

yì wǎn　mǐfàn
8. 一碗　米饭

dà wǎn de　xiǎo wǎn de
大碗的　小碗的

yì bēi　kāfēi
9. 一杯　咖啡

dà bēi de　xiǎo bēi de
大杯的　小杯的

yì píng　kělè
10. 一瓶　可乐

dà píng de　xiǎo píng de
大瓶的　小瓶的

New words

20-3

1. 汉堡 hànbǎo n. hamburger
2. 比萨饼 bǐsàbǐng n. pizza
3. 水 shuǐ n. water
4. 甜 tián adj. sweet
5. 咸 xián adj. salty
6. 斤 jīn m. *jin, a unit of weight (=half a kilo)*
7. 饺子 jiǎozi n. Chinese dumplings
8. 羊肉 yángròu n. mutton
9. 牛肉 niúròu n. beef
10. 米饭 mǐfàn n. cooked rice
11. 咖啡 kāfēi n. coffee
12. 瓶 píng n. bottle
13. 可乐 kělè n. coke, cola

Exercises

1. **口头完成句子。** Complete the sentences orally.

（1）Tā xǐhuan hóngsè de qúnzi. Wǒ bù xǐhuan hóngsè de, wǒ xǐnhuan lánsè de.
她喜欢 红色的裙子。我不喜欢 红色的，我 喜欢 蓝色的。

（2）Bàba xǐhuan liáng de dòujiāng. Māma bù xǐhuan ______, tā xǐhuan ______.
爸爸喜欢 凉 的豆浆。妈妈不喜欢______，她喜欢______。

（3）Lín Mù xǐhuan dà de shǒujī. Wáng Fāngfāng bù xǐhuan ______, tā xǐhuan ______.
林木喜欢大的手机。王 方方 不喜欢______，她喜欢______。

（4）Qīzi xǐhuan hóngsè de shāfā. Zhàngfu bù xǐhuan ______, tā xǐhuan ______.
妻子喜欢 红色的沙发。丈夫 不喜欢______，他喜欢______。

20-4

2. **模仿例子，提问并回答。** Ask questions and answer them following the example.

（1）yì píng 一瓶　kělè 可乐　dà píng de 大瓶 的　xiǎo píng de 小 瓶的

Nín yào shénme?
您 要 什么？

Wǒ yào yì píng kělè.
我要一瓶可乐。

Nín yào dà píng de háishi xiǎo píng de?
您 要大瓶的还是小 瓶的？

Dà píng de.
大 瓶 的。

（2）yì bēi 一杯　kāfēi 咖啡　dà bēi de 大杯的　xiǎo bēi de 小 杯的

（3）yì bēi 一杯　dòujiāng 豆浆　xián de 咸的　tián de 甜的

（4）yì wǎn 一碗　mǐfàn 米饭　dà wǎn de 大碗的　xiǎo wǎn de 小 碗的

（5）yì jīn 一斤　jiǎozi 饺子　yángròu de 羊肉 的　niúròu de 牛肉的

3. **在选择下列食品时，你要什么样的？** When you buy the following foods and drinks, what kind would you like for each of them?

kāfēi 咖啡（dà bēi 大杯　xiǎo bēi 小 杯）　hànbǎo 汉堡　bǐsàbǐng 比萨饼　kělè 可乐　miàntiáor 面条儿

Píngguǒ duōshao qián yì jīn

苹果多少钱一斤

How much is half a kilo of apples

21-1

听录音，然后回答问题：大卫买了什么？

What did David buy? Listen to the recording and then answer the question.

大卫：西红柿多少钱一斤？

姑娘：四块钱一斤。

大卫：苹果多少钱一斤？

姑娘：八块钱一斤。

大卫：草莓呢？

姑娘：草莓十五块钱一盒。

大卫：我要两斤苹果、一盒草莓。

姑娘：好，给您。

大卫：谢谢，姑妈。

姑娘：你为什么叫我“姑妈”？

大卫：“娘”就是“妈”，“姑娘”就是“姑妈”。

姑娘：……

New words

21-2

1. 西红柿	xīhóngshì	n.	tomato
2. 多少	duōshao	pron.	how many, how much
3. 钱	qián	n.	money
4. 姑娘	gūniang	n.	girl, young lady
5. 苹果	píngguǒ	n.	apple
6. 草莓	cǎoméi	n.	strawberry
7. 盒	hé	n.	box, pack
8. 给	gěi	v.	to give
9. 谢谢	xièxie	v.	to thank
10. 姑妈	gūmā	n.	aunt, sister of one's father
11. 为什么	wèi shénme		why
12. 叫	jiào	v.	to call
13. 娘	niáng	n.	mother, mom
14. 就	jiù	adv.	exactly, precisely
15. 妈	mā	n.	mother, mom

Notes

1. 西红柿多少钱一斤？

"Noun+多少钱+一+Measure Word" is a common structure used to ask about prices. The word order can also be "Noun+一+Measure Word+多少钱", e.g., "西红柿一斤多少钱". The corresponding answer is "Sum of Money+一+Measure Word" or "一+Measure Word+Sum of Money", e.g., "四块钱一斤" and "一斤四块钱".

2. 西红柿多少钱一斤？

"斤"(*jin*), a measure word, is a traditional unit of weight in China. One *jin* equals 1/2 kilogram.

3. 四块钱一斤。

The official currency in China is Renminbi(RMB), the units of which are *yuan*(元), *jiao*(角) and *fen*(分) in the written language and *kuai*(块), *mao*(毛) and *fen*(分) in spoken language.

Text in pinyin

Dàwèi: Xīhóngshì duōshao qián yì jīn?
Gūniang: Sì kuài qián yì jīn.

Dàwèi: Píngguǒ duōshao qián yì jīn?
Gūniang: Bā kuài qián yì jīn.

Dàwèi: Cǎoméi ne?
Gūniang: Cǎoméi shíwǔ kuài qián yì hé.

Dàwèi: Wǒ yào liǎng jīn píngguǒ, yì hé cǎoméi.
Gūniang: Hǎo, gěi nín.
Dàwèi: Xièxie, gūmā.

Gūniang: Nǐ wèi shénme jiào wǒ "gūmā"?
Dàwèi: "Niáng" jiù shì "mā", "gūniang" jiù shì "gūmā".
Gūniang: ……

Text in English

David: Excuse me, how much is half a kilo of tomatoes?
Salesgirl: 4 *kuai* half a kilo.

David: How much is half a kilo of apples?
Salesgirl: 8 *kuai* half a kilo.

David: What about strawberries?
Salesgirl: 15 *kuai* per box.

David: I want a kilo of apples and a box of strawberries.
Salesgirl: OK, here you are.
David: Thank you, *guma* (aunt).

Salesgirl: Why did you call me *guma*?
David: *Niang* and *ma* mean the same, so *guniang* (girl) is *guma*.
Salesgirl: ...

Writing Chinese characters

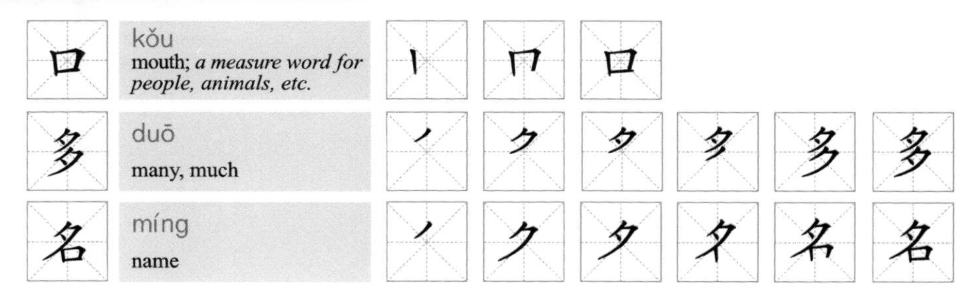

口 kǒu mouth; *a measure word for people, animals, etc.*
多 duō many, much
名 míng name

Lesson 22

Xiāngjiāo zěnme mài
香蕉怎么卖
How much are the bananas

听录音，根据提示词语回答问题。
Listen to the recording and then answer the questions based on the hints given.

22-1
22-2

píngguǒ bā kuài qián jīn
1. 苹果 八块 钱 斤

Píngguǒ duōshao qián yì jīn?
苹果 多少 钱一斤？

Píngguǒ bā kuài qián yì jīn.
苹果 八块 钱一斤。

pútao jiǔ kuài qián jīn
2. 葡萄 九块 钱 斤

jīdàn qī kuài qián jīn
3. 鸡蛋 七块 钱 斤

niúnǎi jiǔ kuài qián hé
4. 牛奶 九块 钱 盒

yú gōngjīn wǔshí kuài
5. 鱼 公斤 五十块

qiǎokèlì hé
6. 巧克力 盒

èrshíbā kuài
二十八块

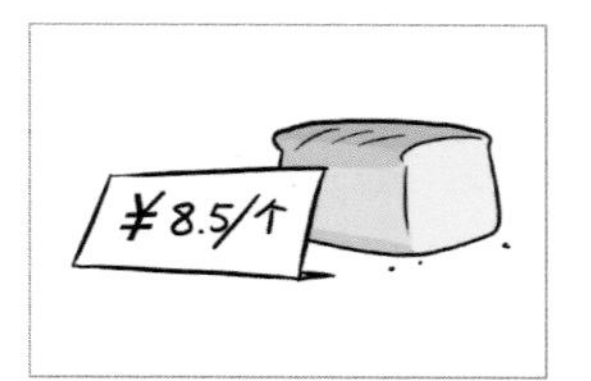

miànbāo gè bā kuài wǔ
7. 面包 个 八块五

xiāngjiāo sì kuài wǔ jīn
8. 香蕉 四块五 斤

kāfēi sìshí'èr kuài hé
9. 咖啡 四十二块 盒

nǎilào liùshí kuài hé
10. 奶酪 六十块 盒

New words

22-3

1. 葡萄 pútao n. grape
2. 鸡蛋 jīdàn n. (chicken) egg
3. 牛奶 niúnǎi n. milk
4. 鱼 yú n. fish
5. 公斤 gōngjīn m. kilogram
6. 巧克力 qiǎokèlì n. chocolate
7. 面包 miànbāo n. bread
8. 香蕉 xiāngjiāo n. banana
9. 怎么 zěnme pron. (*inquiring about nature, condition, etc.*) how
10. 卖 mài v. to sell
11. 奶酪 nǎilào n. cheese

Exercises

1. 为名词选择合适的量词，并连线。Choose the correct measure word for each noun and match the numeral-measure word phrases with the nouns.

(1)

yí ge 一个	niúnǎi 牛奶
liǎng wǎn 两碗	píngguǒ 苹果
sān jīn 三斤	jīdàn 鸡蛋
sì hé 四盒	miàntiáor 面条儿

(2)

wǔ tiáo 五条	chènyī 衬衣
liù ge 六个	qúnzi 裙子
qī jiàn 七件	xié 鞋
bā shuāng 八双	shǒujī 手机

22-4

2. 模仿例子，提问并回答。Ask questions and answer them following the example.

(1) xīhóngshì 西红柿 jīn 斤 sì kuài qián 四块钱

Xīhóngshì duōshao qián yì jīn?
西红柿多少钱一斤？

Xīhóngshì sì kuài qián yì jīn.
西红柿四块钱一斤。

Xīhóngshì zěnme mài?
西红柿怎么卖？

Xīhóngshì yì jīn sì kuài qián.
西红柿一斤四块钱。

(2) qiǎokèlì 巧克力 hé 盒 sìshíwǔ kuài qián 四十五块钱

(3) yú 鱼 gōngjīn 公斤 liùshí kuài qián 六十块钱

(4) kāfēi 咖啡 bēi 杯 sānshí kuài 三十块

(5) nǎilào 奶酪 hé 盒 liùshí kuài 六十块

3. 到超市记下五种商品的价格，然后说一说。Go to a supermarket and take down the prices of five different commodities. Then talk about them.

Yínháng zěnme zǒu

银行怎么走

How can I get to the bank

23-1

听录音，然后回答问题：电影院在哪儿？

Where is the cinema? Listen to the recording and then answer the question.

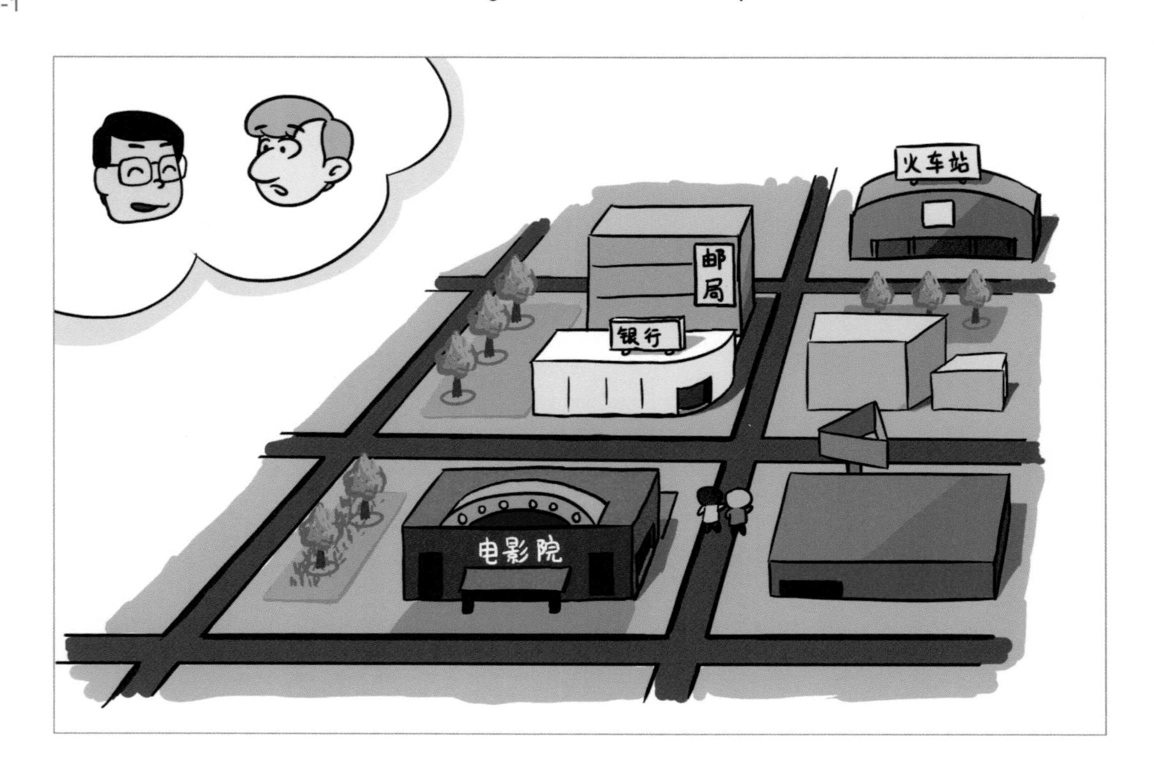

请问，银行怎么走？

一直往前走，那个白色的大楼就是。

请问，火车站怎么走？

一直往北走，第二个路口右拐。

请问，邮局怎么走？

一直往北走，在银行旁边。

请问，电影院怎么走？

第一个路口左拐，一直往前走，第一个路口左拐，再一直往前走，第一个路口左拐，往前走，红色的大楼就是。

New words

23-2

1. 银行	yínháng	n.	bank	9. 第	dì	pref.	*indicating ordinal numbers*
2. 走	zǒu	v.	to walk	10. 路口	lùkǒu	n.	crossing, intersection
3. 一直	yìzhí	adv.	straight, all along	11. 右	yòu	n.	right (side)
4. 往	wǎng	prep.	towards	12. 拐	guǎi	v.	to turn
5. 前	qián	n.	front	13. 邮局	yóujú	n.	post office
6. 楼	lóu	n.	building	14. 左	zuǒ	n.	left (side)
7. 火车站	huǒchēzhàn	n.	railway station	15. 电影院	diànyǐngyuàn	n.	cinema
8. 北	běi	n.	north				

Notes

1. 银行怎么走？

"Place+怎么走" is used to ask the way to a certain place.

2. 一直往前走。

"往+Noun of Direction/Locality" is used before a verb to indicate the direction of the action.

3. 那个白色的大楼就是。

When the adverb "就" is used before "是", it means "just" and "exactly".

Text in pinyin

Qǐngwèn, yínháng zěnme zǒu?
Yìzhí wǎng qián zǒu, nàge báisè de dà lóu jiù shì.

Qǐngwèn, huǒchēzhàn zěnme zǒu?
Yìzhí wǎng běi zǒu, dì-èr ge lùkǒu yòu guǎi.

Qǐngwèn, yóujú zěnme zǒu?
Yìzhí wǎng běi zǒu, zài yínháng pángbiān.

Qǐngwèn, diànyǐngyuàn zěnme zǒu?
Dì-yī ge lùkǒu zuǒ guǎi, yìzhí wǎng qián zǒu, dì-yī ge lùkǒu zuǒ guǎi, zài yìzhí wǎng qián zǒu, dì-yī ge lùkǒu zuǒ guǎi, wǎng qián zǒu, hóngsè de dà lóu jiù shì.

Text in English

Excuse me, how can I get to the bank?
Go straight ahead. It's just the white building over there.

Excuse me, how can I get to the railway station?
Go north and turn right at the second crossing.

Excuse me, how can I get to the post office?
Go north and you'll find it right next to the bank.

Excuse me, how can I get to the cinema?
Take the first road entrance on the left. Then walk straight ahead and turn left at the first crossing. Then walk straight again until the first crossing and turn left. Walk ahead and it is the red building you'll see.

Writing Chinese characters

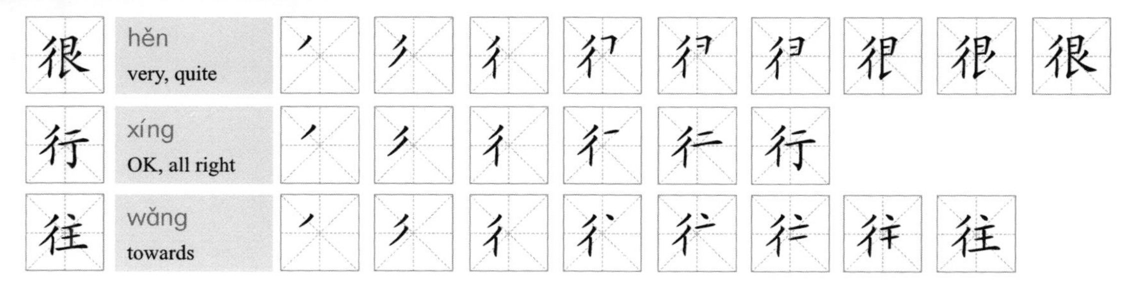

很
hěn
very, quite
行
xíng
OK, all right
往
wǎng
towards

Lesson 24

Nàge báisè de dà lóu jiù shì
那个白色的大楼就是
It's the white tall building over there

听录音，根据提示词语回答问题。
Listen to the recording and then answer the questions based on the hints given.

24-1
24-2

yínháng qián báisè de dà lóu jiù shì
1. 银行 前 白色的大楼 就是

Qǐngwèn, yínháng zěnme zǒu?
请问，银行 怎么走？

Yìzhí wǎng qián zǒu, nàge báisè de dà lóu jiù shì.
一直往 前走，那个白色的大楼就是。

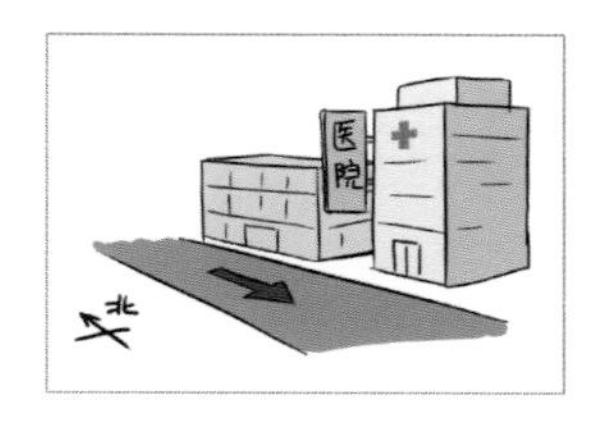

yīyuàn nán
2. 医院 南

hěn gāo de dà lóu jiù shì
很高的大楼 就是

chāoshì běi
3. 超市 北

piàoliang de xiǎo lóu jiù shì
漂亮 的小楼 就是

shāngdiàn běi
4. 商店 北

zài yínháng pángbiān
在 银行 旁边

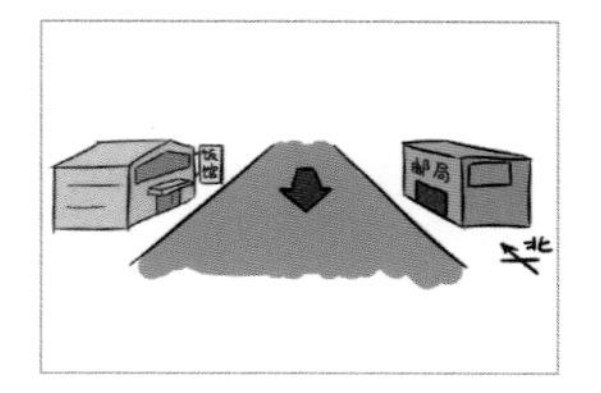

fànguǎnr nán
5. 饭馆儿 南

zài yóujú duìmiàn
在 邮局 对面

yínháng xī
6. 银行 西

zài xuéxiào hòubian
在 学校 后边

dìtiězhàn dōng
7. 地铁站 东

zài chāoshì hòubian
在 超市 后边

New words

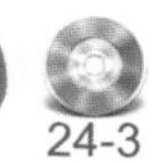
24-3

1. 医院 yīyuàn n. hospital
2. 南 nán n. south
3. 高 gāo adj. tall, high
4. 超市 chāoshì n. supermarket
5. 商店 shāngdiàn n. shop, store
6. 饭馆儿 fànguǎnr n. restaurant
7. 对面 duìmiàn n. opposite (side)
8. 西 xī n. west
9. 学校 xuéxiào n. school
10. 地铁站 dìtiězhàn n. subway station
11. 东 dōng n. east

Exercises

24-4

1. **跟录音朗读。** Read aloud after the recording.

	上（shàng）	下（xià）	左（zuǒ）	右（yòu）	前（qián）	后（hòu）
边（biān）	上边	下边	左边	右边	前边	后边
面（miàn）	上面	下面	左面	右面	前面	后面
	on, above	under, below	left	right	before, front	behind, back

	东（dōng）	西（xī）	南（nán）	北（běi）
边（biān）	东边	西边	南边	北边
面（miàn）	东面	西面	南面	北面
	east	west	south	north

24-5

2. **模仿例子，提问并回答。** Ask questions and answer them following the example.

（1）电影院 前 第一个 右
diànyǐngyuàn qián dì-yī ge yòu

Qǐngwèn, diànyǐngyuàn zěnme zǒu?
请问，电影院怎么走？

Yìzhí wǎng qián zǒu, dì-yī ge lùkǒu yòu guǎi.
一直往前走，第一个路口右拐。

（2）超市 东 第二个 左
chāoshì dōng dì-èr ge zuǒ

（3）地铁站 西 第三个 右
dìtiězhàn xī dì-sān ge yòu

（4）银行 南 第一个 左
yínháng nán dì-yī ge zuǒ

（5）医院 北 第二个 右
yīyuàn běi dì-èr ge yòu

3. **假定你的朋友到你家暂住，告诉他/她从你家到最近的银行（邮局、电影院、超市、商店、医院）怎么走。** Suppose your friend is staying at your home for the time being. Tell him/her the way to the nearest bank (post office, cinema, supermarket, store or hospital, etc.).

Wǒ zuò gōnggòng qìchē shàng bān
我坐 公共汽车 上 班
I'll come to work by bus

听录音，然后回答问题：他们明天怎么上班？
How will they come to work tomorrow? Listen to the recording and then answer the question.

同事1：明天是世界环境日，我们都不开车。你们打算怎么上班？

同事2：我坐地铁上班。

同事3：我坐公共汽车上班。

同事4：我骑自行车上班。

同事5：我走路上班。

同事6：我不坐地铁，不坐公共汽车，不骑自行车，也不走路上班。

同事们：你怎么上班？

同事6：明天不上班，明天是周末。

New words

25-2

1. 同事 tóngshì n. colleague, co-worker
2. 明天 míngtiān n. tomorrow
3. 世界环境日 Shìjiè Huánjìng Rì World Environment Day
4. 开车 kāi chē v. to drive
5. 打算 dǎsuàn v. to plan (to do sth.)
6. 上班 shàng bān v. to come/go to work
7. 坐 zuò v. to sit, to travel by
8. 地铁 dìtiě n. subway
9. 公共汽车 gōnggòng qìchē bus
10. 骑 qí v. to ride
11. 自行车 zìxíngchē n. bike
12. 走路 zǒu lù v. to walk
13. 周末 zhōumò n. weekend

Notes

1. 你们打算怎么上班？

"怎么" here is used to ask about the way to do something.

2. 我坐地铁上班。

There are two verb phrases in the sentence. The first tells the way/tool in/with which the action denoted by the second is conducted. In this sentence, "坐地铁" is the way "I" come to work (上班).

Text in pinyin

Tóngshì 1: Míngtiān shì Shìjiè Huánjìng Rì, wǒmen dōu bù kāi chē. Nǐmen dǎsuàn zěnme shàng bān?

Tóngshì 2: Wǒ zuò dìtiě shàng bān.

Tóngshì 3: Wǒ zuò gōnggòng qìchē shàng bān.

Tóngshì 4: Wǒ qí zìxíngchē shàng bān.

Tóngshì 5: Wǒ zǒu lù shàng bān.

Tóngshì 6: Wǒ bú zuò dìtiě, bú zuò gōnggòng qìchē, bù qí zìxíngchē, yě bù zǒu lù shàng bān.

Tóngshìmen: Nǐ zěnme shàng bān?

Tóngshì 6: Míngtiān bú shàng bān, míngtiān shì zhōumò.

Text in English

Colleague 1: Tomorrow is the World Environment Day. Let's not drive. How will you come to work?

Colleague 2: I'll come by subway.

Colleague 3: I'll come by bus.

Colleague 4: I'll come by bike.

Colleague 5: I'll come on foot.

Colleague 6: I won't come to work by subway, bus or bike, nor on foot.

Others: Then how will you come to work?

Colleague 6: I won't come to work tomorrow. Tomorrow is the weekend.

Writing Chinese characters

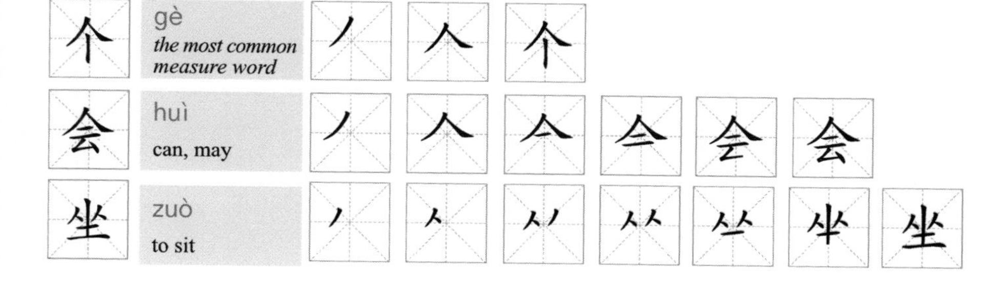

个 gè the most common measure word
会 huì can, may
坐 zuò to sit

Lesson 26

Jiějie zěnme qù jīchǎng
姐姐怎么去机场
How does my elder sister go to the airport

26-1
26-2

听录音，根据提示词语回答问题。
Listen to the recording and then answer the questions based on the hints given.

wǒ zuò dìtiě shàng bān
1. 我 坐地铁 上 班

Nǐ zěnme shàng bān?
你怎么 上 班？

Wǒ zuò dìtiě shàng bān.
我坐地铁 上 班。

yéye zǒu lù
2. 爷爷 走路
qù yínháng
去银行

gēge pǎo bù
3. 哥哥 跑步
qù gōngyuán
去 公园

dìdi qí zìxíngchē
4. 弟弟 骑自行车
qù xuéxiào
去学校

māma zuò gōnggòng qìchē
5. 妈妈 坐 公共 汽车
qù shāngdiàn
去 商店

jiějie dǎ chē
6. 姐姐 打车
qù jīchǎng
去机场

nǎinai zuò chūzūchē
7. 奶奶 坐出租车
qù chāoshì
去超市

bàba kāi chē
8. 爸爸 开车
qù gōngsī
去公司

mèimei zuò huǒchē
9. 妹妹 坐火车
qù Shànghǎi
去 上海

wǒ zuò fēijī
10. 我 坐飞机
qù Běijīng
去北京

New words

26-3

1. 爷爷 yéye n. grandpa
2. 去 qù v. to go
3. 公园 gōngyuán n. park
4. 跑步 pǎo bù v. to run, to jog
5. 打车 dǎ chē v. to take a taxi
6. 机场 jīchǎng n. airport
7. 奶奶 nǎinai n. grandma
8. 出租车 chūzūchē n. taxi, cab
9. 公司 gōngsī n. company
10. 火车 huǒchē n. train
11. 上海 Shànghǎi p.n. Shanghai
12. 飞机 fēijī n. airplane
13. 北京 Běijīng p.n. Beijing

1. 模仿例子组句。Rearrange the words and expressions to make sentences following the example.

zuò Liú lǎoshī shàng bān gōnggòng qìchē
（1）坐 刘老师 上 班 公共 汽车

Liú lǎoshī zuò gōnggòng qìchē shàng bān.
刘老师坐 公共 汽车 上 班。

qù huǒchēzhàn zuò dìtiě Lín xiānsheng
（2）去火车站 坐地铁 林 先生

Lǐ nǚshì qù jīchǎng dǎ chē
（3）李女士 去机场 打车

Zhāng xiǎojie qù yínháng zuò gōnggòng qìchē
（4）张 小姐 去银行 坐 公共 汽车

tāmen qù fànguǎnr zǒu lù
（5）他们 去饭馆儿 走路

qù Shànghǎi Wáng jīnglǐ zuò fēijī
（6）去上海 王 经理 坐飞机

26-4

2. 模仿例子，提问并回答。Ask questions and answer them following the example.

wǒ zǒu lù chāoshì
（1）我 走路 超市

Nǐ zěnme qù chāoshì?
你怎么去超市？

Wǒ zǒu lù qù chāoshì.
我走路去超市。

gēge qí zìxíngchē xuéxiào
（2）哥哥 骑自行车 学校

māma zuò huǒchē Shànghǎi
（3）妈妈 坐火车 上海

dìdi pǎo bù gōngyuán
（4）弟弟 跑步 公园

nǎinai zuò chūzūchē yīyuàn
（5）奶奶 坐出租车 医院

3. 说说你的家人怎么去上班（上学、去银行、去超市）。Talk about how your family members go to work (school, the bank or the supermarket, etc.).

Wǒ qù Āijí lǚyóu le
我去埃及旅游了
I traveled to Egypt

27-1

听录音，然后回答问题：周末大卫去哪儿了？

Where did David go this past weekend? Listen to the recording and then answer the question.

老师：同学们，周末你们做什么了？

同学1：我去颐和园玩儿了。

同学2：我去体育馆健身了。

同学3：我去商店买大衣和鞋了。

同学4：我去剧院看京剧了。

老师：大卫，你去哪儿了？

大卫：我去埃及旅游了。

老师：这么快就回来了？

大卫：我是上网去的。

New words

27-2

1. 同学	tóngxué	n.	fellow student, classmate
2. 了	le	part.	*indicating a past action or experience*
3. 颐和园	Yíhé Yuán	p.n.	Summer Palace
4. 玩儿	wánr	v.	to play, to have fun
5. 体育馆	tǐyùguǎn	n.	gymnasium
6. 买	mǎi	v.	to buy
7. 和	hé	conj.	and
8. 剧院	jùyuàn	n.	theater
9. 埃及	Āijí	p.n.	Egypt
10. 旅游	lǚyóu	v.	to travel
11. 这么	zhème	pron.	so, like this
12. 快	kuài	adj.	quick, soon
13. 回来	huílai	v.	to come back

Notes

1. 我去颐和园玩儿了。

"了" is a particle used at the end of a sentence to indicate something has already happened.

2. 我去颐和园玩儿了。

There are two verb phrases in the sentence. The second tells the purpose of the action denoted by the first. In this sentence, "玩儿" is the purpose of "去颐和园".

3. 这么快就回来了？

The adverb "就" here means "soon".

4. 我是上网去的。

This sentence means "I visited Egypt online".

Text in pinyin

Lǎoshī: Tóngxuémen, zhōumò nǐmen zuò shénme le?

Tóngxué 1: Wǒ qù Yíhé Yuán wánr le.

Tóngxué 2: Wǒ qù tǐyùguǎn jiànshēn le.

Tóngxué 3: Wǒ qù shāngdiàn mǎi dàyī hé xié le.

Tóngxué 4: Wǒ qù jùyuàn kàn jīngjù le.

Lǎoshī: Dàwèi, nǐ qù nǎr le?
Dàwèi: Wǒ qù Āijí lǚyóu le.

Lǎoshī: Zhème kuài jiù huílai le?
Dàwèi: Wǒ shì shàng wǎng qù de.

Text in English

Teacher: What did you guys do on the weekend?

Student 1: I went to the Summer Palace.

Student 2: I went to the gym to do exercises.

Student 3: I went shopping for a coat and shoes.

Student 4: I went to see a Beijing opera.

Teacher: Where did you go, David?
David: I traveled to Egypt.

Teacher: How come you are back so soon?
David: I traveled there on the Internet.

Writing Chinese characters

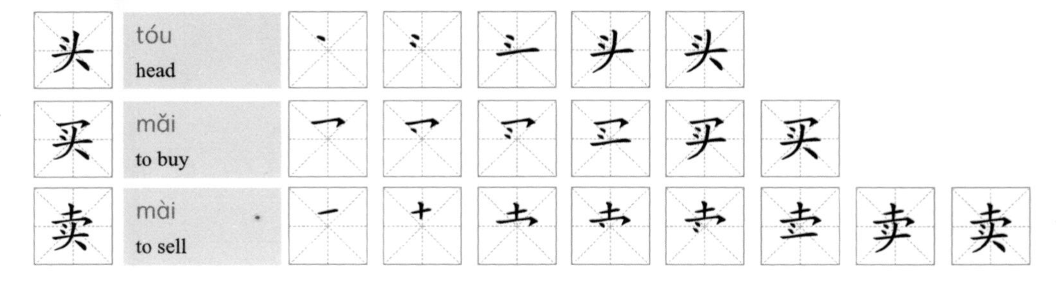

头
tóu
head
买
mǎi
to buy
卖
mài
to sell

Lesson

28

Zuótiān nǐ zuò shénme le

昨天你做什么了

What did you do yesterday

28-1
28-2

听录音，根据提示词语回答问题。
Listen to the recording and then answer the questions based on the hints given.

zhōumò Yíhé Yuán wánr
1. 周末 颐和园 玩儿

Zhōumò nǐ zuò shénme le?
周末你做什么了？

Zhōumò wǒ qù Yíhé Yuán wánr le.
周末我去颐和园玩儿了。

jīntiān tǐyùguǎn
2. 今天 体育馆
dǎ lánqiú
打篮球

zuótiān diànyǐngyuàn
3. 昨天 电影院
kàn diànyǐng
看电影

qiántiān jùyuàn
4. 前天 剧院
kàn jīngjù
看京剧

Xīngqīyī fànguǎnr
5. 星期一 饭馆儿
chī zhōngguócài
吃中国菜

Xīngqī'èr xuéxiào
6. 星期二 学校
xué Hànyǔ
学汉语

Xīngqīsān Chángchéng
7. 星期三 长城
wánr
玩儿

Xīngqīsì shāngdiàn
8. 星期四 商店
mǎi dōngxi
买东西

Xīngqīliù tǐyùguǎn
9. 星期六 体育馆
yóuyǒng
游泳

Xīngqītiān xuéxiào
10. 星期天 学校
tī zúqiú
踢足球

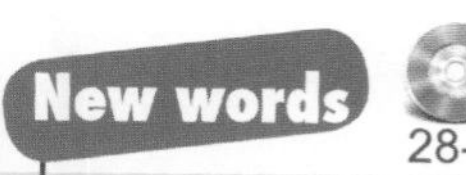

28-3

1. 今天 jīntiān n. today
2. 昨天 zuótiān n. yesterday
3. 前天 qiántiān n. the day before yesterday
4. 学 xué v. to study, to learn
5. 汉语 Hànyǔ p.n. Chinese (language)
6. 东西 dōngxi n. thing, stuff
7. 游泳 yóuyǒng v. to swim
8. 踢 tī v. to kick, to play
9. 足球 zúqiú n. football, soccer

Exercises

1. 模仿例子组句。Rearrange the words and expressions to make sentences following the example.

(1) zhōumò 周末 wǒ 我 kàn diànyǐng 看电影 qù diànyǐngyuàn 去电影院 le 了

Zhōumò wǒ qù diànyǐngyuàn kàn diànyǐng le.
周末我去电影院看电影了。

(2) shàng bān 上班 qù gōngsī 去公司 le 了 tā 他 Xīngqīliù 星期六

(3) gēge 哥哥 dǎ lánqiú 打篮球 le 了 qù tǐyùguǎn 去体育馆 zuótiān 昨天

(4) wǒmen 我们 le 了 qù Běijīng 去北京 zhōumò 周末 lǚyóu 旅游

(5) Dàwèi 大卫 le 了 Xīngqītiān 星期天 xué Hànyǔ 学汉语 qù xuéxiào 去学校

(6) mǎi yīfu 买衣服 qiántiān 前天 Liú lǎoshī 刘老师 qù shāngdiàn 去商店 le 了

2. 模仿例子，提问并回答。Ask questions and answer them following the example.

28-4

(1) Xīngqītiān 星期天 Dīng Shān 丁山 tǐyùguǎn 体育馆 jiànshēn 健身

Xīngqītiān Dīng Shān qù nǎr le?
星期天丁山去哪儿了？

Xīngqītiān Dīng Shān qù tǐyùguǎn jiànshēn le.
星期天丁山去体育馆健身了。

Wǒ Xīngqītiān yě qù tǐyùguǎn jiànshēn le.
我星期天也去体育馆健身了。

(2) zhōumò 周末 tāmen 他们 jùyuàn 剧院 kàn jīngjù 看京剧

(3) zuótiān 昨天 Ālǐ 阿里 fànguǎnr 饭馆儿 chī zhōngguócài 吃中国菜

(4) Xīngqī'èr 星期二 gēge 哥哥 tǐyùguǎn 体育馆 tī zúqiú 踢足球

(5) Xīngqīwǔ 星期五 Liú xiānsheng 刘先生 Běijīng 北京 lǚyóu 旅游

3. 说说你最近去哪儿做什么了。Talk about where you have been recently and what you have done there.

Zǎoshang liù diǎn bàn chūfā, zěnmeyàng
早上六点半出发，怎么样
How about setting out at half past six in the morning

29-1

听录音，然后回答问题：王方方明天晚上做什么？
What will Wang Fangfang do tomorrow evening? Listen to the recording and then answer the question.

大　卫：我们明天去长城吧！

王方方：好啊！几点出发？

大　卫：早上六点半出发，怎么样？

王方方：好啊！

刘小双：明天我们去喝茶吧！

王方方：好啊！几点去？

刘小双：下午四点，怎么样？

王方方：没问题。

刘大双：明天下午我们去看电影吧！

王方方：明天下午我有事儿。晚上好吗？

刘大双：好吧。几点？

王方方：晚上七点十五分电影院见。

New words

29-2

1. 长城 Chángchéng p.n. Great Wall	8. 半 bàn num. half
2. 吧 ba part. *used at the end of a sentence to indicate consultation, suggestion, request or command, etc.*	9. 下午 xiàwǔ n. afternoon
3. 好 hǎo adj. OK, all right	10. 没问题 méi wèntí no problem
4. 啊 a int. *used at the end of a sentence as a sign of confirmation*	11. 事儿 shìr n. business, affair
5. 点 diǎn m. o'clock	12. 晚上 wǎnshang n. evening, night
6. 出发 chūfā v. to set out, to leave	13. 分 fēn m. minute
7. 早上 zǎoshang n. morning	14. 见 jiàn v. to meet, to see

Notes

1. 我们明天去长城吧!

"吧", a particle, is used here at the end of the sentence to make a suggestion.

2. 早上六点半出发，怎么样?

"怎么样" is used after a suggestion to ask the other party's opinion regarding it.

3. 晚上七点十五分电影院见。

"Time+Place+见" is a structure commonly used in Chinese to set the time and place to meet.

Text in pinyin

Dàwèi: Wǒmen míngtiān qù Chángchéng ba!
Wáng Fāngfāng: Hǎo a! Jǐ diǎn chūfā?

Dàwèi: Zǎoshang liù diǎn bàn chūfā, zěnmeyàng?
Wáng Fāngfāng: Hǎo a!

Liú Xiǎoshuāng: Míngtiān wǒmen qù hē chá ba!
Wáng Fāngfāng: Hǎo a! Jǐ diǎn qù?

Liú Xiǎoshuāng: Xiàwǔ sì diǎn, zěnmeyàng?
Wáng Fāngfāng: Méi wèntí.

Liú Dàshuāng: Míngtiān xiàwǔ wǒmen qù kàn diànyǐng ba!
Wáng Fāngfāng: Míngtiān xiàwǔ wǒ yǒu shìr. Wǎnshang hǎo ma?

Liú Dàshuāng: Hǎo ba. Jǐ diǎn?
Wáng Fāngfāng: Wǎnshang qī diǎn shíwǔ fēn diànyǐngyuàn jiàn.

Text in English

David: Let's go to the Great Wall tomorrow!
Wang Fangfang: Good idea! When shall we leave?

David: How about half past six in the morning?
Wang Fangfang: Sure!

Liu Xiaoshuang: Let's have some tea together tomorrow.
Wang Fangfang: Great! At what time?

Liu Xiaoshuang: What about four in the afternoon?
Wang Fangfang: No problem.

Liu Dashuang: Let's go to see a movie tomorrow afternoon.
Wang Fangfang: I will not be free in the afternoon. What about in the evening?

Liu Dashuang: Alright. At what time?
Wang Fangfang: See you at the movie theater at 7:15 in the evening.

Writing Chinese characters

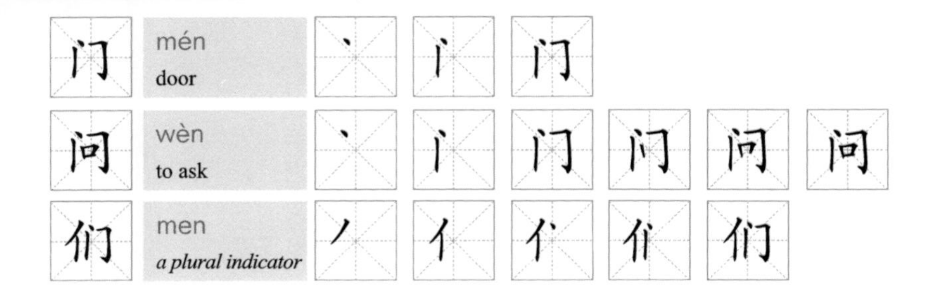

门
mén
door
问
wèn
to ask
们
men
a plural indicator

Lesson 30

Xīngqīrì xiàwǔ wǒmen qù dǎ lánqiú ba

星期日下午我们去打篮球吧

Let's go to play basketball this Sunday afternoon

30-1
30-2

听录音，根据提示词语回答问题。

Listen to the recording and then answer the questions based on the hints given.

Xīngqīrì xiàwǔ qù dǎ lánqiú
1. 星期日下午 去打篮球

Xīngqīrì xiàwǔ wǒmen zuò shénme?
星期日下午我们 做 什么？

Xīngqīrì xiàwǔ wǒmen qù dǎ lánqiú ba.
星期日下午我们去打篮球吧。

Xīngqīliù shàngwǔ
2. 星期六 上午

qù yóuyǒng
去 游泳

Xīngqīyī zhōngwǔ
3. 星期一中午

qù hē chá
去喝茶

Xīngqī'èr xiàwǔ
4. 星期二下午

qù hē kāfēi
去喝咖啡

Xīngqīwǔ shàngwǔ
5. 星期五 上午

qù tiào wǔ
去跳 舞

Xīngqīsān xiàwǔ
6. 星期三下午

qù mǎi dōngxi
去买 东西

Xīngqīsì shàngwǔ
7. 星期四 上午

qù tī zúqiú
去踢足球

jīntiān wǎnshang liù diǎn bàn
8. 今天 晚上 六点 半

qù tīng yīnyuèhuì
去听 音乐会

míngtiān xiàwǔ liǎng diǎn èrshí
9. 明天 下午 两 点二十

qù jiànshēn
去 健身

hòutiān wǎnshang qī diǎn yí kè
10. 后天 晚上 七点一刻

qù kàn huàjù
去看话剧

30-3

1. 上午	shàngwǔ	n.	morning, forenoon
2. 中午	zhōngwǔ	n.	noon
3. 跳舞	tiào wǔ	v.	to dance
4. 音乐会	yīnyuèhuì	n.	concert
5. 后天	hòutiān	n.	the day after tomorrow
6. 刻	kè	m.	quarter (of an hour)
7. 话剧	huàjù	n.	modern drama, stage play

Exercises

30-4

1. 看钟表说出时间。 Look at the clock and say the time.

liù diǎn yí kè
六点一刻

30-5

2. 模仿例子，提问并回答。 Ask questions and answer them following the example.

（1）míngtiān xiàwǔ 明天下午　hē chá 喝茶　liǎng diǎn bàn 两点半

Míngtiān xiàwǔ wǒmen qù hē chá ba!
明天下午我们去喝茶吧！

Liǎng diǎn bàn, zěnmeyàng?
两点半，怎么样？

Hǎo a! Jǐ diǎn qù?
好啊！几点去？

Méi wèntí!
没问题！

（2）hòutiān wǎnshang 后天晚上　tiào wǔ 跳舞　liù diǎn shíwǔ 六点十五

（3）Xīngqīwǔ wǎnshang 星期五晚上　tīng yīnyuèhuì 听音乐会　qī diǎn èrshí 七点二十

（4）Xīngqītiān shàngwǔ 星期天上午　mǎi dōngxi 买东西　jiǔ diǎn 九点

（5）míngtiān shàngwǔ 明天上午　yóuyǒng 游泳　shí diǎn yí kè 十点一刻

3. 邀请你的朋友一起去健身（喝茶、看话剧），并约定时间。 Ask your friend to exercise (have tea or see a stage play, etc.) with you and set a time.

Lesson 31

Tā gèzi hěn gāo

他个子很高

He is very tall

31-1

听录音，然后回答问题：王方方找谁？

Who is Wang Fangfang looking for? Listen to the recording and then answer the question.

王方方：请问，你旁边那位先生去哪儿了？

丁　山：哪位先生？

王方方：他个子很高，眼睛很大，头发很短。

丁　山：他穿什么衣服？

王方方：他衣服很酷。他穿一件黑色的衬衣，一条蓝色的牛仔裤，一双白色的运动鞋。

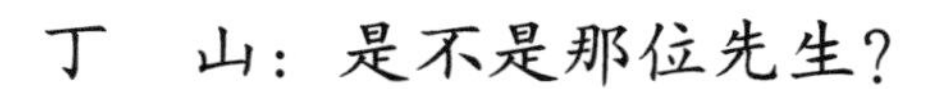

丁　山：是不是那位先生？

王方方：是。

王方方：刘大双，你在这儿啊！

刘小双：对不起，方方，我是小双！

New words

31-2

1. 位 wèi m. *used to refer to people in a polite way*
2. 个子 gèzi n. height, stature
3. 眼睛 yǎnjing n. eye
4. 头发 tóufa n. hair
5. 短 duǎn adj. short
6. 酷 kù adj. cool, awesome
7. 牛仔裤 niúzǎikù n. jeans, close-fitting pants
8. 运动鞋 yùndòngxié n. sneakers, gym shoes
9. 这儿 zhèr pron. here

Notes

1. 他个子很高。

This is a sentence with a "Subject+Predicate" structure as its predicate. "个子很高" is a sentence used to talk about or describe the subject "他".

2. 他衣服很酷。

"酷" is the transliteration of the English word "cool", which means "awesome".

Text in pinyin

Wáng Fāngfāng: Qǐngwèn, nǐ pángbiān nà wèi xiānsheng qù nǎr le?
Dīng Shān: Nǎ wèi xiānsheng?

Wáng Fāngfāng: Tā gèzi hěn gāo, yǎnjing hěn dà, tóufa hěn duǎn.

Dīng Shān: Tā chuān shénme yīfu?
Wáng Fāngfāng: Tā yīfu hěn kù. Tā chuān yí jiàn hēisè de chènyī, yì tiáo lánsè de niúzǎikù, yì shuāng báisè de yùndòngxié.

Dīng Shān: Shì bu shì nà wèi xiānsheng?
Wáng Fāngfāng: Shì.

Wáng Fāngfāng: Liú Dàshuāng, nǐ zài zhèr a!
Liú Xiǎoshuāng: Duìbuqǐ, Fāngfāng, wǒ shì Xiǎoshuāng!

Text in English

Wang Fangfang: Excuse me, do you know where the man who was just beside you went?
Ding Shan: Which man?

Wang Fangfang: He is very tall. He has big eyes and short hair.

Ding Shan: What does he wear?
Wang Fangfang: The way he dresses is very cool. He wears a black shirt, blue jeans and white sneakers.

Ding Shan: Are you talking about the man over there?
Wang Fangfang: Yes, that's right.

Wang Fangfang: Hey, Liu Dashuang, you are here!
Liu Xiaoshuang: Sorry, Fangfang, but I'm Xiaoshuang!

Writing Chinese characters

wèi
a measure word for people

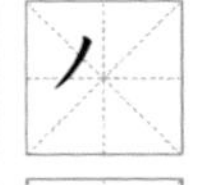 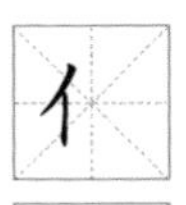 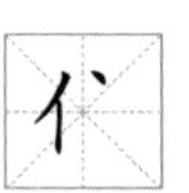 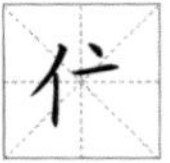   

件

jiàn
a measure word for clothes, etc.

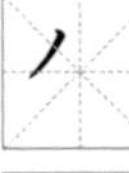  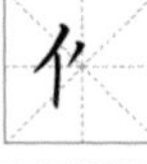   

作

zuò
to work

Lesson 32

Tā shēncái bù hǎo

他身材不好

He doesn't have a good figure

32-1
32-2

听录音，模仿例子描述人物。

Listen to the recording and describe the people following the example.

gèzi gāo ǎi

1. 个子 高 矮

Tā gèzi hěn gāo, tā gèzi hěn ǎi.

他个子很高，他个子很矮。

yǎnjing dà xiǎo

2. 眼睛 大 小

tóufa cháng duǎn

3. 头发 长 短

zuǐ dà xiǎo

4. 嘴 大 小

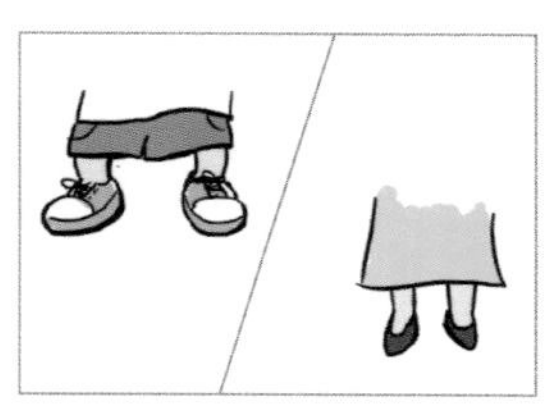

jiǎo dà xiǎo

5. 脚 大 小

dùzi dà bú dà

6. 肚子 大 不大

tuǐ cháng bù cháng

7. 腿 长 不 长

bízi gāo bù gāo

8. 鼻子 高 不高

shēncái hǎo bù hǎo

9. 身材 好 不好

New words

32-3

1. 矮 ǎi adj. (of stature) short		5. 肚子 dùzi n. abdomen, belly	
2. 长 cháng adj. long		6. 腿 tuǐ n. leg	
3. 嘴 zuǐ n. mouth		7. 鼻子 bízi n. nose	
4. 脚 jiǎo n. foot		8. 身材 shēncái n. figure, stature	

Exercises

1. 选择填空。Choose the correct word for each blank.

gāo　kù　dà　cháng　hǎo　piàoliang
a. 高　b. 酷　c. 大　d. 长　e. 好　f. 漂亮

Liú Dàshuāng de gèzi hěn
（1）刘大双的个子很 a 。

Dàwèi de yīfu hěn
（2）大卫的衣服很____。

Tā tóufa hěn
（3）他头发很____。

Wǒ gēge yǎnjing bú
（4）我哥哥眼睛不____。

Wǒ jiějie hěn　shēncái yě hěn
（5）我姐姐很____，身材也很____。

Tā shì Fǎguórén,　tā bízi hěn
（6）她是法国人，她鼻子很____。

32-4

2. 模仿例子，描述人物。Describe each person following the example.

（1）tóufa 头发　yǎnjing 眼睛　bízi 鼻子　zuǐ 嘴

Tā tóufa hěn duǎn, yǎnjing hěn dà, bízi bù gāo, zuǐ hěn xiǎo.
他头发很短，眼睛很大，鼻子不高，嘴很小。

（2）gèzi 个子　shēncái 身材
yǎnjing 眼睛　tóufa 头发

（4）gèzi 个子　tóufa 头发
tuǐ 腿　dùzi 肚子

（3）yīfu 衣服　gèzi 个子
tuǐ 腿

（5）gèzi 个子　tóufa 头发
yǎnjing 眼睛

3. 描述一个你熟悉的人。Describe someone you are familiar with.

Lesson 33

Běijīng tiānqì zěnmeyàng

北京天气怎么样

What's the weather like in Beijing

33-1 **听录音，然后回答问题：**北京和悉尼的天气怎么样？

How is the weather in Beijing and in Sydney? Listen to the recording and then answer the question.

安　妮：喂，是王方方吗？

王方方：我就是。

安　妮：我明天去北京。

北京天气怎么样？

王方方：北京现在是冬天。明天阴天，有雪，气温零下3度到4度。

安　妮：这么冷啊！

王方方：是啊。悉尼天气怎么样？

安　妮：悉尼现在是夏天，很热，今天32度。

王方方：北京现在非常冷。你多穿点儿衣服！

安　妮：谢谢！

王方方：不客气。

New words

33-2

1. 喂 wèi int. hello, hey		9. 零下 líng xià below zero	
2. 天气 tiānqì n. weather		10. 度 dù n. degree	
3. 现在 xiànzài n. now		11. 到 dào v. up until, up to	
4. 冬天 dōngtiān n. winter		12. 冷 lěng adj. cold	
5. 阴天 yīntiān n. overcast sky, cloudy day		13. 悉尼 Xīní p.n. Sydney	
6. 有 yǒu v. there be, to exist		14. 夏天 xiàtiān n. summer	
7. 雪 xuě n. snow		15. 点儿 diǎnr m. a little, a bit	
8. 气温 qìwēn n. temperature		16. 不客气 bú kèqi you are welcome	

Notes

1. 喂，是王方方吗？

"喂" is an interjection Chinese people often use to answer a phone call.

2. 明天阴天

This is a sentence with a noun (phrase) as its predicate. This type of sentence mainly talks about weather, time or date, etc. For example, "今天32度" and "明天星期天".

Text in pinyin

Ānní: Wèi, shì Wáng Fāngfāng ma?
Wáng Fāngfāng: Wǒ jiù shì.

Ān nī: Wǒ míngtiān qù Běijīng. Běijīng tiānqì zěnmeyàng?
Wáng Fāngfāng: Běijīng xiànzài shì dōngtiān. Míngtiān yīntiān, yǒu xuě, qìwēn líng xià sān dù dào sì dù.
Ānní: Zhème lěng a!

Wáng Fāngfāng: Shì a. Xīní tiānqì zěnmeyàng?
Ānní: Xīní xiànzài shì xiàtiān, hěn rè, jīntiān sānshí'èr dù.

Wáng Fāngfāng: Běijīng xiànzài fēicháng lěng. Nǐ duō chuān diǎnr yīfu!
Ānní: Xièxie!
Wáng Fāngfāng: Bú kèqi.

Text in English

Annie: Hello, is that Wang Fangfang?
Wang Fangfang: Yes, speaking.

Annie: I'm going to Beijing tomorrow. What's the weather like in Beijing?
Wang Fangfang: Now it's winter in Beijing. It will be overcast and snowy tomorrow, and the temperature will be about 3 degrees centigrade below zero to 4 degrees centigrade.
Annie: That's really cold!

Wang Fangfang: Yes, it is. What about the weather in Sydney?
Annie: It's summer here now. It's hot and the temperature is 32 degrees centigrade today.

Wang Fangfang: It's very cold in Beijing now. You'd better wear warm clothes.
Annie: Thank you!
Wang Fangfang: You are welcome.

Writing Chinese characters

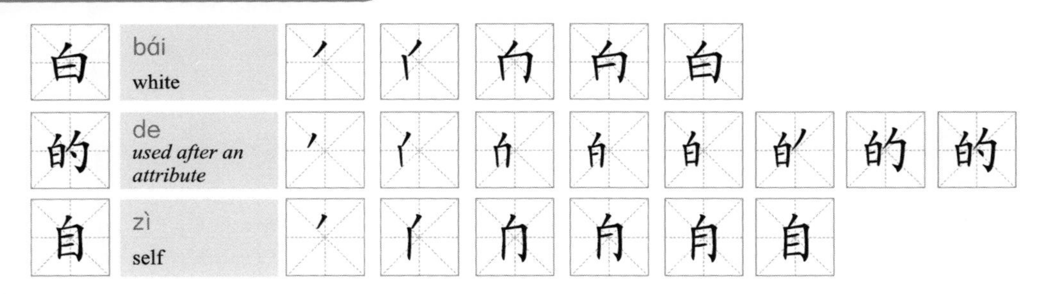

白
bái
white
的
de
used after an attribute
自
zì
self

Lesson 34

Mòsīkē dōngtiān chángcháng xià xuě

莫斯科冬天 常常 下雪

It snows a lot in Moscow in the winter

34-1
34-2

听录音，根据提示词语回答问题。

Listen to the recording and then answer the questions based on the hints given.

Běijīng míngtiān yīntiān líng xià sān dù dào sì dù
1. 北京 明天 阴天 零下3度到4度

Běijīng míngtiān tiānqì zěnmeyàng?
北京 明天 天气怎么样？

Běijīng míngtiān yīntiān, qìwēn líng xià sān dù dào sì dù.
北京 明天 阴天，气温 零下 3 度到4度。

Shànghǎi jīntiān qíngtiān
2. 上海 今天 晴天

sān dù dào jiǔ dù
3 度到 9 度

Xīní jīntiān duōyún
3. 悉尼 今天 多云

sān dù dào wǔ dù
3 度到 5 度

Niǔyuē jīntiān qíngtiān
4. 纽约 今天 晴天

èr dù dào shísì dù
2 度到 14 度

Mòsīkē jīntiān guā fēng
5. 莫斯科 今天 刮 风

líng xià shíyī dù dào líng xià èr dù
零下 11 度到 零 下2 度

Màngǔ míngtiān xiǎoyǔ
6. 曼谷 明天 小雨

qìwēn èrshíliù dù dào sānshísì dù
气温 26 度到 34 度

Běijīng chūntiān
7. 北京 春天

nuǎnhuo guā fēng
暖和 刮 风

Běijīng chūntiān hěn nuǎnhuo,
北京 春天 很 暖和，

chángcháng guā fēng.
常常 刮 风。

Shànghǎi qiūtiān
8. 上海 秋天

bù lěng
不冷

Mòsīkē dōngtiān
9. 莫斯科 冬天

xià xuě
下雪

New words

34-3

1. 多云 duōyún n. cloudy
2. 纽约 Niǔyuē p.n. New York
3. 晴天 qíngtiān n. fine weather, sunny day
4. 莫斯科 Mòsīkē p.n. Moscow
5. 刮风 guā fēng v. to be windy
6. 曼谷 Màngǔ p.n. Bangkok
7. 小雨 xiǎoyǔ n. light rain
8. 春天 chūntiān n. spring
9. 暖和 nuǎnhuo adj. warm
10. 常常 chángcháng adv. often, frequently
11. 秋天 qiūtiān n. fall, autumn
12. 下 xià v. (of rain, snow, etc.) to come down, to fall

Exercises

34-4

1. 看图说天气。Look at the pictures and talk about the weather.

Běijīng qíngtiān
（1）北京 晴天

Běijīng qíngtiān, èrshí dù
北京晴天，20 度

dào sānshí dù.
到 30 度。

25~33℃

Màngǔ duōyún
（2）曼谷 多云

Xīní xiǎoyǔ
（3）悉尼 小雨

Mòsīkē dàxuě
（4）莫斯科 大雪

Shànghǎi qíngtiān
（5）上海 晴天

Niǔyuē guā fēng
（6）纽约 刮风

34-5

2. 模仿例子，提问并回答。Ask questions and answer them following the example.

chūntiān nuǎnhuo guā fēng
（1）春天 暖和 刮风

Běijīng chūntiān zěnmeyàng?
北京春天怎么样？

Běijīng chūntiān hěn nuǎnhuo, chángcháng guā fēng.
北京春天很暖和，常常刮风。

xiàtiān rè xià yǔ
（2）夏天 热 下雨

qiūtiān bù lěng yě bú rè
（3）秋天 不冷也不热

dōngtiān lěng xià xuě
（4）冬天 冷 下雪

3. 说说你所在城市一年四季的气候特点。Talk about the characteristics of the climate in the city where you live.

Nǐ gǎnmào le

你感冒了

You've got a cold

35-1

听录音，然后回答问题： 小明为什么说“太好了”？

Why did Xiaoming say “Great”? Listen to the recording and then answer the question.

妈妈：小明，你怎么了？

小明：我不舒服。

妈妈：你可能生病了。

我们去医院吧。

（在医院）

医生：你哪儿不舒服？

小明：我头疼，嗓子也疼。

医生：量量体温。

发烧了。你感冒了，吃点儿药吧。

医生：你需要在家休息。

小明：太好了，今天不上学了！

New words

35-2

1. 怎么了 zěnme le what's wrong, what's the matter
2. 可能 kěnéng adv. possibly, probably
3. 生病 shēng bìng v. to get ill, to be sick
4. 头 tóu n. head
5. 疼 téng adj. to ache
6. 嗓子 sǎngzi n. throat
7. 量 liáng v. to measure
8. 体温 tǐwēn n. (body) temperature
9. 发烧 fā shāo v. to run a fever
10. 感冒 gǎnmào v. to have a cold
11. 药 yào n. medicine, drug
12. 需要 xūyào v. to need
13. 在 zài prep. in/on/at
14. 家 jiā n. home
15. 休息 xiūxi v. to rest
16. 太…了 tài…le too, very
17. 上学 shàng xué v. to go to school

Notes

1. 你可能生病了。

"了" is usually used at the end of a sentence. Here it shows the situation has changed.

2. 量量体温。

"量量" is the reduplicate form of the verb "量" to indicate a simple and short action.

3. 你需要在家休息。

"在" is a preposition here. When "在+Location" is followed by a verb, it indicates where the action takes place.

Text in pinyin

Māma: Xiǎomíng, nǐ zěnme le?
Xiǎomíng: Wǒ bù shūfu.

Māma: Nǐ kěnéng shēng bìng le.
Wǒmen qù yīyuàn ba.

(zài yīyuàn)
Yīshēng: Nǐ nǎr bù shūfu?
Xiǎomíng: Wǒ tóu téng, sǎngzi yě téng.

Yīshēng: Liángliang tǐwēn.
Fā shāo le. Nǐ gǎnmào le, chī diǎnr yào ba.

Yīshēng: Nǐ xūyào zài jiā xiūxi.
Xiǎomíng: Tài hǎo le, jīntiān bú shàng xué le!

Text in English

Mother: Xiaoming, what's the matter with you?
Xiaoming: I'm not feeling well.

Mother: You are probably sick.
Let's go to the hospital.

(In the hospital)
Doctor: What seems to be the problem?
Xiaoming: I'm having a headache, and a sore throat, too.

Doctor: Let me take your temperature.
You have a fever, and you've got a cold.
Take some medicine.

Doctor: You need to have some rest at home.
Xiaoming: Great! I don't have to go to school today!

Writing Chinese characters

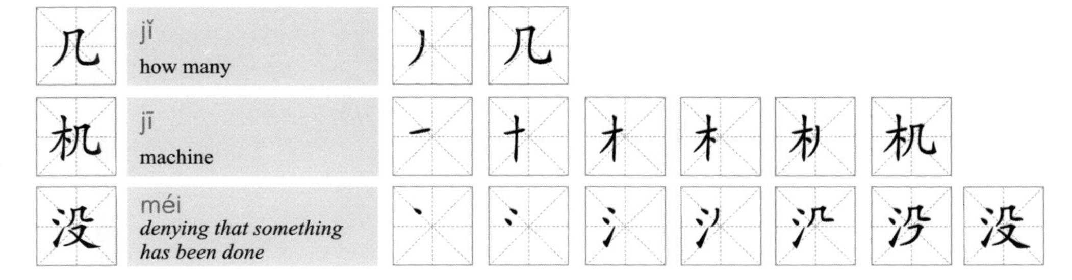

几
jǐ
how many
机
jī
machine
没
méi
denying that something has been done

Lesson 36

Tā zěnme le
他怎么了
What's the matter with him

36-1
36-2

听录音，根据提示词语回答问题。
Listen to the recording and then answer the questions based on the hints given.

Xiǎomíng gǎnmào
1. 小明 感冒

Xiǎomíng zěnme le?
小明 怎么了？

Xiǎomíng gǎnmào le.
小明 感冒了。

tā shēng bìng
2. 他 生 病

tā fā shāo
3. 她 发烧

tā lèi
4. 他 累

tā shēng qì
5. 她 生气

Xiǎomíng kùn
6. 小明 困

wǒ yá téng
7. 我 牙疼

Nǐ nǎr bù shūfu?
你哪儿不舒服？

Wǒ yá téng.
我牙疼。

tā dùzi téng
8. 他 肚子疼

tā sǎngzi téng
9. 她 嗓子疼

New words

36-3

1. 生气 shēng qì v. to be angry
2. 困 kùn adj. sleepy
3. 牙 yá n. tooth

Exercises

1. **选择填空。** Choose the correct word for each blank.

zěnme le / duō / diǎnr / xūyào / kěnéng

a. 怎么了 b. 多 c. 点儿 d. 需要 e. 可能

Jīntiān hěn lěng, nǐ yào chuān diǎnr yīfu.
（1）今天很冷，你要 b 穿点儿衣服。

Liú Dàshuāng bù gāoxìng, tā
（2）刘大双不高兴，他____？

Míngtiān xià xuě, nǐ zuò dìtiě shàng bān ba.
（3）明天____下雪，你坐地铁上班吧。

Tā fā shāo le, qù yīyuàn.
（4）他发烧了，____去医院。

Nǐ duō hē shuǐ ba.
（5）你多喝____水吧。

Nǐ gǎnmào le, xiūxi.
（6）你感冒了，____休息。

36-4

2. **看图说句子。** Look at the pictures and make sentences.

kùn
（1）困

Tā kùn le.
他困了。

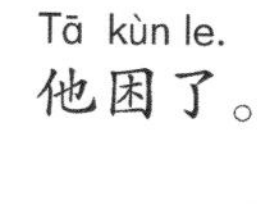

lèi
（2）累

shēng qì
（3）生气

gǎnmào
（4）感冒

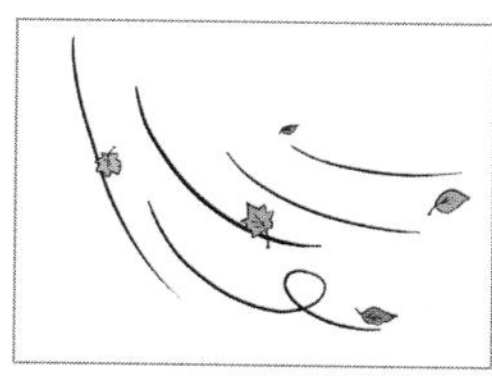

guā fēng
（5）刮风

xià yǔ
（6）下雨

xià xuě
（7）下雪

yīntiān
（8）阴天

3. **说说你感冒的时候有什么感觉，你怎么做？** Talk about how you feel when you have a cold and what you do.

Lesson 37

Tāmen zài zuò shénme

他们在做什么

What are they doing

37-1

听录音，然后回答问题：她家的小猫在做什么？

What's their little kitty doing? Listen to the recording and then answer the question.

今天星期天。现在早上八点。

奶奶在看电视，爷爷在看报纸。

爸爸在收拾房间，妈妈在做饭。

姐姐在化妆，哥哥在睡觉。

妹妹在看书，弟弟在打电话。

我家的小猫在做什么？

它正在吃饭呢。

New words

37-2

1. （正）在 (zhèng) zài adv. in the course of
2. 收拾 shōushi v. to tidy
3. 房间 fángjiān n. room
4. 做饭 zuò fàn to cook
5. 化妆 huà zhuāng v. to put on make-up
6. 打（电话） dǎ (diànhuà) v. to make (a phone call)
7. 小猫 xiǎomāo n. kitten, kitty
8. 它 tā pron. it
9. 吃饭 chī fàn to have a meal

Notes

奶奶在看电视。

Here "在" is an adverb used before a verb to indicate an action in progress. One can also use "正在……", "在……呢" or "正在……呢" instead of it.

Text in pinyin

Jīntiān Xīngqītiān. Xiànzài zǎoshang bā diǎn.

Nǎinai zài kàn diànshì, yéye zài kàn bàozhǐ.

Bàba zài shōushi fángjiān, māma zài zuò fàn.

Jiějie zài huà zhuāng, gēge zài shuì jiào.

Mèimei zài kàn shū, dìdi zài dǎ diànhuà.

Wǒ jiā de xiǎomāo zài zuò shénme?
Tā zhèngzài chī fàn ne!

Text in English

Today is Sunday. It is eight o'clock in the morning now.

Grandma is watching TV, and grandpa is reading a newspaper.

Dad is tidying the room, and mom is cooking.

My elder sister is putting on make-up, and my elder brother is sleeping.

My younger sister is reading a book, and my younger brother is making a phone call.

What's our little kitty doing?
It's having a meal.

Writing Chinese characters

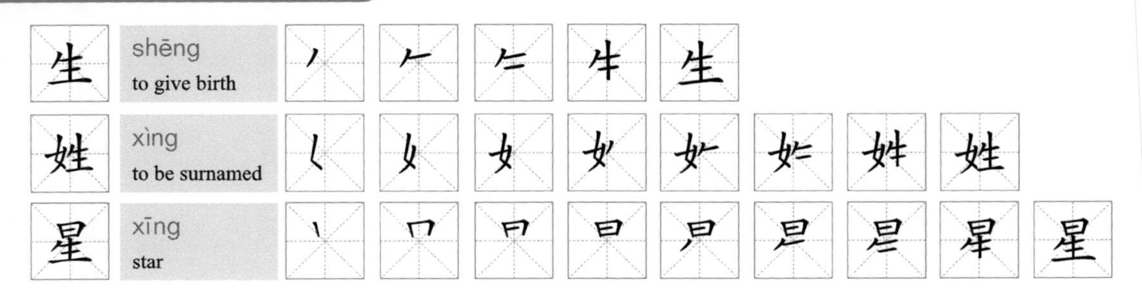

生
shēng
to give birth
姓
xìng
to be surnamed
星
xīng
star

Yéye zài dǎ tàijíquán
爷爷在打太极拳
Grandpa is practicing *taijiquan*

38-1
38-2

听录音，根据提示词语回答问题。
Listen to the recording and then answer the questions based on the hints given.

nǎinai kàn diànshì
1. 奶奶 看 电视

Nǎinai zài zuò shénme?
奶奶在 做什么？

Nǎinai zài kàn diànshì.
奶奶在看 电视。

yéye dǎ tàijíquán
2. 爷爷 打太极拳

māma xiūxi
3. 妈妈 休息

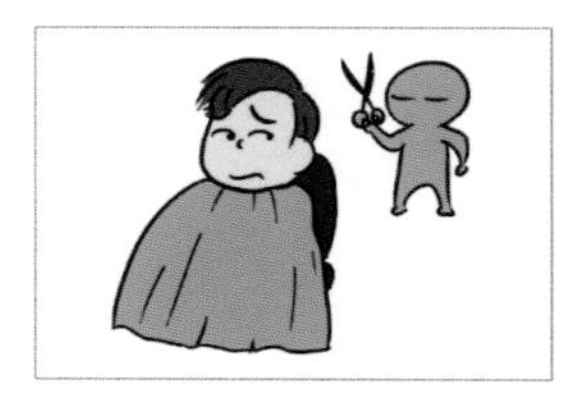

bàba lǐ fà
4. 爸爸 理发

Xiǎomíng chī fàn
5. 小明 吃饭

Dīng Shān huà huàr
6. 丁 山 画画儿

Wáng Fāngfāng huà zhuāng
7. 王 方方 化 妆

mèimei xuéxí
8. 妹妹 学习

Ālǐ huídá wèntí
9. 阿里 回答问题

Dàwèi xiě Hànzì
10. 大卫 写汉字

38-3

1. 理发 lǐ fà v. to get a haircut
2. 画画儿 huà huàr v. to draw, to paint
3. 学习 xuéxí v. to study, to learn
4. 回答 huídá v. to answer, to reply
5. 问题 wèntí n. question, problem
6. 汉字 Hànzì p.n. Chinese character

1. 选择填空。Choose the correct word for each blank.

dǎsuàn a. 打算　zài/zhèngzài b. 在/正在　le c. 了

Zhōumò wǒ hé Dàshuāng qù jiànshēn
（1）周末我和大双去健身 c 。

Wǒ jiějie dǎ diànhuà ne.
（2）我姐姐____打电话呢。

Ānní méi qù xuéxiào, tā shēng bìng
（3）安妮没去学校，她生病____。

Xīngqīliù wǒ hé māma qù kàn diànyǐng.
（4）星期六我____和妈妈去看电影。

Dàwèi xiě Hànzì ne.
（5）大卫____写汉字呢。

Zuótiān bàba zuò huǒchē qù Shànghǎi
（6）昨天爸爸坐火车去上海____。

38-4

2. 模仿例子，提问并回答。Ask questions and answer them following the example.

mǎi píngguǒ chāoshì
（1）买　苹果　超市

Tā zài zuò shénme?
他在做什么？

Tā zài mǎi píngguǒ.
他在买苹果。

Tā zài nǎr mǎi píngguǒ?
他在哪儿买苹果？

Tā zài chāoshì mǎi píngguǒ.
他在超市买苹果。

jiějie shàng wǎng jiā
（2）姐姐　上网　家

nǎinai dǎ tàijíquán gōngyuán
（3）奶奶　打太极拳　公园

Lín Mù shàng bān gōngsī
（4）林木　上班　公司

dìdi xiě wēibó kètīng li
（5）弟弟　写微博　客厅里

3. 描述你周围的人现在都在做什么。Describe what the people around you are doing now.

Lesson 39

Fángjiān shōushi wán le

房间收拾完了

The room has been tidied up

39-1

听录音，然后回答问题：妻子晚饭做好了吗？

Has the wife cooked dinner yet? Listen to the recording and then answer the question.

妻子：房间收拾了吗？

丈夫：房间收拾完了。

妻子：桌子擦了吗？

丈夫：擦干净了。

妻子：衣服洗了吗？

丈夫：洗完了。

妻子：车洗了吗？

丈夫：洗干净了。

妻子：儿子，你作业写完了吗？

儿子：没写完。

丈夫、儿子：晚饭做好了吗？

妻子：……

39-2

New words

1. 完 wán v. to finish
2. 擦 cā v. to wipe
3. 干净 gānjìng adj. clean
4. 洗 xǐ v. to wash
5. 车 chē n. car
6. 儿子 érzi n. son
7. 作业 zuòyè n. homework
8. 晚饭 wǎnfàn n. dinner, supper
9. 好 hǎo adj. *used after a verb to indicate the completion of an action*

Notes

1. 房间收拾完了。

Certain verbs or adjectives can be used after a verb to indicate the result of the action denoted, such as "收拾完" and "洗干净". The negative form is "没+Verb+Verb/Adjective", e.g., "没收拾完" and "没洗干净".

2. 没写完。

The adverb "没" is used before a verb to deny/negate the occurrence of an action. For example, "我没写完" and "昨天他没去上班" (He didn't go to work yesterday).

Text in pinyin

Qīzi: Fángjiān shōushi le ma?
Zhàngfu: Fángjiān shōushi wán le.

Qīzi: Zhuōzi cā le ma?
Zhàngfu: Cā gānjìng le.

Qīzi: Yīfu xǐ le ma?
Zhàngfu: Xǐwán le.

Qīzi: Chē xǐ le ma?
Zhàngfu: Xǐ gānjìng le.

Qīzi: Érzi, nǐ zuòyè xiěwán le ma?
Érzi: Méi xiěwán.

Zhàngfu、érzi: Wǎnfàn zuòhǎo le ma?
Qīzi: ……

Text in English

Wife: Has the room been tidied up?
Husband: Yes, it has.

Wife: Has the table been cleaned?
Husband: Yes, it's clean now.

Wife: Have the clothes been washed?
Husband: Yes, they have.

Wife: Has the car been washed?
Husband: Yes, it has been washed clean.

Wife: Son, have you finished your homework?
Son: No, not yet.

Husband and son: Is dinner ready yet?
Wife: …

Writing Chinese characters

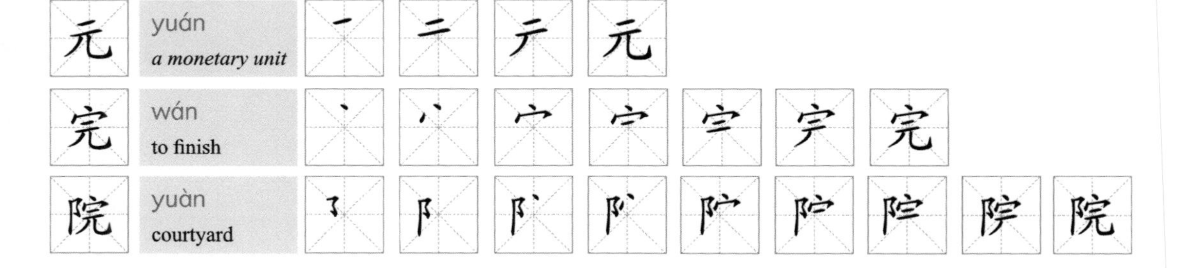

元
yuán
a monetary unit
完
wán
to finish
院
yuàn
courtyard

Lesson 40

Tā tīngdǒng le

他听懂了

He understood what he heard

40-1
40-2

听录音，模仿例子描述图片。
Listen to the recording and talk about the pictures following the example.

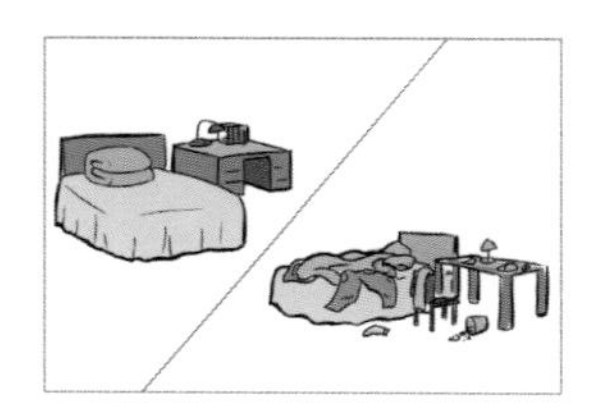

Wǒ de fángjiān shōushi hǎo le.
1. 我的 房间 收拾 好了。
Tā de fángjiān méi shōushi hǎo.
他的 房间 没收拾好。

Kètīng dǎsǎo wán le.
2. 客厅打扫 完了。
Wòshì
卧室________。

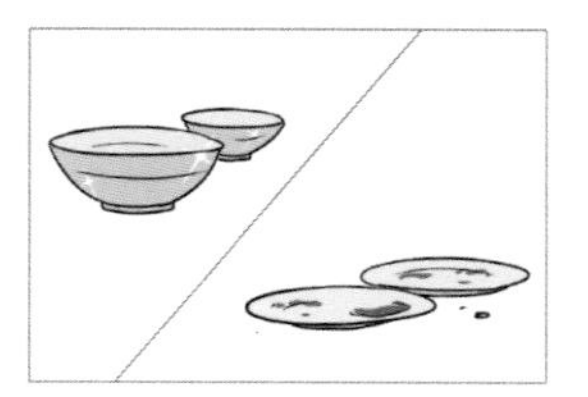

Wǎn xǐ gānjìng le.
3. 碗 洗干净了。
Pánzi
盘子________。

Zhège Hànzì xiěduì le.
4. 这个汉字写对了。
Nàge Hànzì
那个汉字________。

Dìdi chībǎo le.
5. 弟弟吃饱了。
Jiějie
姐姐________。

Yéye kàn qīngchu le.
6. 爷爷看 清楚了。
Nǎinai
奶奶________。

Bàba tīngdǒng le.
7. 爸爸听懂 了。
Māma
妈妈________。

New words

40-3

1. 客厅	kètīng	n.	living room
2. 打扫	dǎsǎo	v.	to clean, to sweep
3. 卧室	wòshì	n.	bedroom
4. 盘子	pánzi	n.	plate, dish
5. 对	duì	adj.	right, correct
6. 错	cuò	adj.	wrong
7. 饱	bǎo	adj.	full, replete
8. 清楚	qīngchu	adj.	clear, distinct
9. 懂	dǒng	v.	to understand, to know

Exercises

1. **选择填空。** Choose the correct word for each blank.

a. 完 (wán)　b. 干净 (gānjìng)　c. 清楚 (qīngchu)　d. 好 (hǎo)　e. 饱 (bǎo)　f. 对 (duì)　g. 累 (lèi)

(1) Wǎnfàn zuò ___ le.
晚饭做 d 了。

(2) Tā zǒu ___ le.
他走____了。

(3) Hànzì hěn xiǎo, nǐ kàn ___ le ma?
汉字很小，你看____了吗？

(4) Tā huídá ___ le.
他回答____了。

(5) Wǒ chī ___ le.
我吃____了。

(6) Shūguì cā ___ le, yīguì yě cā ___ le.
书柜擦____了，衣柜也擦____了。

40-4

2. **模仿例子，提问并回答。** Ask questions and answer them following the example.

(1) zhuōzi cā gānjìng
桌子　擦　干净

Zhuōzi cā le ma?
桌子擦了吗？

Cā le.
擦了。

Zhuōzi cā gānjìng le ma?
桌子擦干净了吗？

Méi cā gānjìng.
没擦干净。

(2) fángjiān shōushi hǎo
房间　收拾　好

(3) shū kàn wán
书　看　完

(4) pánzi xǐ gānjìng
盘子　洗　干净

(5) jīngjù tīng dǒng
京剧　听　懂

3. **晚上你想想今天什么事儿做完了，什么事儿没做完。** In the evening, think about what you have finished doing today and what you haven't.

繁體課文

Texts in Complex Characters

第 1 課 你叫什麼名字

聽録音，然後回答問題：他們叫什麼？

王方方：你好！
林　木：你好！

王方方：我叫王方方。你叫什麼名字？
林　木：我姓林，叫林木。

王方方：他叫什麼名字？
林　木：他叫劉大雙。

王方方：他叫什麼名字？
林　木：他叫劉小雙。

第 3 課 他是中國人

聽録音，然後回答問題：他們是哪國人？

王方方：這是林木，他是中國人。
　　　　這是大衛，他是法國人。

大　衛：您好！認識您很高興。
林　木：您好！認識您我也很高興。

大　衛：那是誰？
王方方：他是劉大雙。

大　衛：他是哪國人？
王方方：他是中國人。

第 5 課 您是木先生嗎

聽録音，然後回答問題：這是誰的快遞？

郵遞員：請問，您是木先生嗎？
林　木：我不是。他姓木。

郵遞員：木先生，這是您的快遞。

木先生：對不起，這不是我的快遞。

郵遞員：請問，誰是木林？

林　木：我叫林木，不叫木林。
　　　　這是我的快遞。

郵遞員：對不起，林先生。
林　木：没關係。

郵遞員：再見。
林　木：再見。

第 7 課 他做什麼工作

聽録音，然後回答問題：誰最忙？

他做什麼工作？
他是司機。他很忙。

她做什麼工作？
她是記者。她很忙。

他做什麼工作？
他是醫生。他也很忙。

他做什麼工作？
他是經理。他非常忙。

她做什麼工作？
她是家庭主婦。

她忙不忙？
她最忙。

第 9 課 他們喜歡做什麼

聽録音，然後回答問題：誰喜歡唱歌？

林木喜歡做什麼？

他喜歡打籃球。

王方方喜歡做什麼？
她喜歡唱歌。

劉大雙喜歡做什麼？
他喜歡打太極拳。

她喜歡做什麼？
她喜歡上網。

他們喜歡做什麼？
他們都喜歡吃中國菜。

你呢？
我喜歡睡覺。

第 11 課 我有一個姐姐

聽録音，然後回答問題：王方方有没有男朋友？

我叫王方方。

我爸爸是經理，他很忙。

我媽媽是家庭主婦，她很漂亮。
她有很多漂亮的衣服。

我没有哥哥，有一個姐姐。
我姐姐有男朋友，她喜歡約會。

我没有男朋友，我喜歡上網。

第 13 課 我的鑰匙在哪兒

聽録音，然後回答問題：丈夫的鑰匙在哪兒？

丈夫：我的鑰匙在哪兒？
妻子：鑰匙在桌子上。

丈夫：鑰匙不在桌子上。

妻子：鑰匙在不在沙發上？
丈夫：不在沙發上。

妻子：在不在沙發下邊？
丈夫：也不在沙發下邊。

妻子：在不在電話旁邊？
丈夫：不在電話旁邊。

妻子：你手裏是什麼？
丈夫：……

第 15 課 這條紅色的裙子好看嗎

聽録音，然後回答問題：丈夫覺得妻子的衣服好看嗎？

妻子：這條紅色的裙子好看嗎？
丈夫：好看。

妻子：這條白色的裙子好看嗎？
丈夫：好看。

妻子：這條黄色的裙子呢？
丈夫：好看。

妻子：這件緑色的大衣怎麼樣？
丈夫：好看。

妻子：這件藍色的大衣呢？
丈夫：好看。

妻子：你看没看？
丈夫：你穿什麼都好看。

第 17 課 春節是農曆一月一日

聽録音，然後回答問題：2012年中國情人節是哪天？

阿里：老師，中國有哪些傳統節日？
老師：中國有春節、元宵節、中秋節……

阿里：春節是幾月幾日？
老師：春節是農曆1月1日。

阿里：元宵節是幾月幾日？
老師：元宵節是農曆1月15日。

阿里：中秋節呢？
老師：中秋節是農曆8月15日。

阿里：中國有情人節嗎？
老師：有，中國的情人節是農曆7月7日。

阿里：2012年中國情人節是哪天？
老師：是2012年8月23日，星期四。

第 19 課 現金還是刷卡

聽録音，然後回答問題：他要了什麼？

服務員：請問，您要什麼？
林　木：我要一碗麵條兒。

服務員：您要大碗的還是小碗的？
林　木：大碗的。

服務員：辣的還是不辣的？
林　木：不辣的。

林　木：再要一杯豆漿。
服務員：要熱的還是涼的？
林　木：涼的。

服務員：一共五十塊。現金還是刷卡？
林　木：刷卡。

第 21 課 蘋果多少錢一斤

聽録音，然後回答問題：大衛買了什麼？

大衛：西紅柿多少錢一斤？
姑娘：四塊錢一斤。

大衛：蘋果多少錢一斤？
姑娘：八塊錢一斤。

大衛：草莓呢？
姑娘：草莓十五塊錢一盒。
大衛：我要兩斤蘋果、一盒草莓。
姑娘：好，給您。
大衛：謝謝，姑媽。

姑娘：你為什麼叫我“姑媽”？
大衛：“娘”就是“媽”，“姑娘”就是“姑媽”。
姑娘：……

第 23 課 銀行怎麼走

聽録音，然後回答問題：電影院在哪兒？

請問，銀行怎麼走？
一直往前走，那個白色的大樓就是。

請問，火車站怎麼走？
一直往北走，第二個路口右拐。

請問，郵局怎麼走？
一直往北走，在銀行旁邊。

請問，電影院怎麼走？
第一個路口左拐，一直往前走，第一個路口左拐，再一直往前走，第一個路口左拐，往前走，紅色的大樓就是。

第 25 課 我坐公共汽車上班

聽録音，然後回答問題：他們明天怎麼上班？

同　事1：明天是世界環境日，我們都不開車。你們打算怎麼上班？

同　事2：我坐地鐵上班。

同　事3：我坐公共汽車上班。

同　事4：我騎自行車上班。

同　事5：我走路上班。

同　事6：我不坐地鐵，不坐公共汽車，不騎自行車，也不走路上班。

同事們：你怎麼上班？

同　事6：明天不上班，明天是周末。

第 27 課 我去埃及旅遊了

聽録音，然後回答問題：周末大衛去哪兒了？

老師：同學們，周末你們做什麼了？

同學1：我去頤和園玩兒了。

同學2：我去體育館健身了。

同學3：我去商店買大衣和鞋了。

同學4：我去劇院看京劇了。

老師：大衛，你去哪兒了？
大衛：我去埃及旅游了。

老師：這麼快就回來了？
大衛：我是上網去的。

第 29 課 六點半出發，怎麼樣

聽録音，然後回答問題：王方方明天晚上做什麼？

大　衛：我們明天去長城吧！
王方方：好啊！幾點出發？
大　衛：早上六點半出發，怎麼樣？
王方方：好啊！

劉小雙：明天我們去喝茶吧！
王方方：好啊！幾點去？
劉小雙：下午四點，怎麼樣？
王方方：没問題。

劉大雙：明天下午我們去看電影吧！
王方方：明天下午我有事兒。晚上好嗎？
劉大雙：好吧。幾點？
王方方：晚上七點十五分電影院見。

第 31 課 他個子很高

聽録音，然後回答問題：王方方找誰？

王方方：請問，你旁邊那位先生去哪兒了？
丁　山：哪位先生？

王方方：他個子很高，眼睛很大，頭髮很短。

丁　山：他穿什麼衣服？
王方方：他衣服很酷。他穿一件黑色的襯衣，一條藍色的牛仔褲，一雙白色的運動鞋。

丁　山：是不是那位先生？
王方方：是。

王方方：劉大雙，你在這兒啊！
劉小雙：對不起，方方，我是小雙！

第 33 課 北京天氣怎麼樣

聽録音，然後回答問題：北京和悉尼的天氣怎麼樣？

安　妮：喂，是王方方嗎？
王方方：我就是。

安　妮：我明天去北京。北京天氣怎麼樣？

王方方：北京現在是冬天。明天陰天，有雪，氣温零下3度到4度。

安　妮：這麼冷啊！

王方方：是啊。悉尼天氣怎麼樣？
安　妮：悉尼現在是夏天，很熱，今天32度。

王方方：北京現在非常冷。你多穿點兒衣服！

安　妮：謝謝！
王方方：不客氣。

第 35 課 你感冒了

聽録音，然後回答問題：小明為什麼說“太好了”？

媽媽：小明，你怎麼了？
小明：我不舒服。

媽媽：你可能生病了。我們去醫院吧。

（在醫院）
醫生：你哪兒不舒服？
小明：我頭疼，嗓子也疼。

醫生：量量體温。
　　　發燒了。你感冒了，吃點兒藥吧。

醫生：你需要在家休息。
小明：太好了，今天不上學了！

第 37 課 他們在做什麼

聽録音，然後回答問題：她家的小貓在做什麼？

今天星期天。現在早上八點。

奶奶在看電視，爺爺在看報紙。

爸爸在收拾房間，媽媽在做飯。

姐姐在化妝，哥哥在睡覺。
妹妹在看書，弟弟在打電話。

我家的小貓在做什麼？
它正在吃飯呢。

第 39 課 房間收拾完了

聽録音，然後回答問題：妻子晚飯做好了嗎？

妻子：房間收拾了嗎？
丈夫：房間收拾完了。

妻子：桌子擦了嗎？
丈夫：擦乾净了。

妻子：衣服洗了嗎？
丈夫：洗完了。

妻子：車洗了嗎？
丈夫：洗乾净了。

妻子：兒子，你作業寫完了嗎？
兒子：没寫完。

丈夫、兒子：晚飯做好了嗎？
妻子：……

A

简体 Simplified form	繁体 Complex form	拼音 Pinyin	词性 Word type	课号 Lesson
啊	啊	a	int.	29
埃及	埃及	Āijí	p.n.	27
矮	矮	ǎi	adj.	32

B

简体 Simplified form	繁体 Complex form	拼音 Pinyin	词性 Word type	课号 Lesson
爸爸	爸爸	bàba	n.	11
吧	吧	ba	part.	29
白色	白色	báisè	n.	15
半	半	bàn	num.	29
饱	飽	bǎo	adj.	40
报纸	報紙	bàozhǐ	n.	10
杯	杯	bēi	n.	19
北	北	běi	n.	23
北京	北京	Běijīng	p.n.	26
鼻子	鼻子	bízi	n.	32
比萨饼	比薩餅	bǐsàbǐng	n.	20
不客气	不客氣	bú kèqi		33
不	不	bù	adv.	5

C

简体 Simplified form	繁体 Complex form	拼音 Pinyin	词性 Word type	课号 Lesson
擦	擦	cā	v.	39
餐桌	餐桌	cānzhuō	n.	14
草莓	草莓	cǎoméi	n.	21
茶	茶	chá	n.	10
长	長	cháng	adj.	32
长城	長城	Chángchéng	p.n.	29
常常	常常	chángcháng	adv.	34
唱歌	唱歌	chàng gē	v.	9
超市	超市	chāoshì	n.	24
车	車	chē	n.	39
衬衣	襯衣	chènyī	n.	16
吃	吃	chī	v.	9
吃饭	吃飯	chī fàn		37
出发	出發	chūfā	v.	29
出租车	出租車	chūzūchē	n.	26
厨师	廚師	chúshī	n.	8
穿	穿	chuān	v.	15
传统	傳統	chuántǒng	adj.	17
春节	春節	Chūn Jié	p.n.	17
春天	春天	chūntiān	n.	34
错	錯	cuò	adj.	40

D

简体 Simplified form	繁体 Complex form	拼音 Pinyin	词性 Word type	课号 Lesson
打	打	dǎ	v.	9
打车	打車	dǎ chē	v.	26
打（电话）	打（電話）	dǎ (diànhuà)	v.	37
打扫	打掃	dǎsǎo	v.	40
打算	打算	dǎsuàn	v.	25
大	大	dà	adj.	19
大衣	大衣	dàyī	n.	15
大夫	大夫	dàifu	n.	6
到	到	dào	v.	33
德国人	德國人	Déguórén	p.n.	4
的	的	de	part.	5
地铁	地鐵	dìtiě	n.	25
地铁站	地鐵站	dìtiězhàn	n.	24
弟弟	弟弟	dìdi	n.	12
第	第	dì	pref.	23
点	點	diǎn	m.	29
点儿	點兒	diǎnr	m.	33
电话	電話	diànhuà	n.	13
电脑	電腦	diànnǎo	n.	14
电视	電視	diànshì	n.	10

简体 Simplified form	繁体 Complex form	拼音 *Pinyin*	词性 Word type	课号 Lesson
电影	電影	diànyǐng	n.	10
电影院	電影院	diànyǐngyuàn	n.	23
东	東	dōng	n.	24
东西	東西	dōngxi	n.	28
冬天	冬天	dōngtiān	n.	33
懂	懂	dǒng	v.	40
都	都	dōu	adv.	9
豆浆	豆漿	dòujiāng	n.	19
读	讀	dú	v.	10
肚子	肚子	dùzi	n.	32
度	度	dù	n.	33
短	短	duǎn	adj.	31
对	對	duì	adj.	40
对不起	對不起	duìbuqǐ	v.	5
对面	對面	duìmiàn	n.	24
多	多	duō	adj.	11
多少	多少	duōshao	pron.	21
多云	多雲	duōyún	n.	34
E				
儿子	兒子	érzi	n.	39
F				
发烧	發燒	fā shāo	v.	35
法国人	法國人	Fǎguórén	p.n.	3
饭馆儿	飯館兒	fànguǎnr	n.	24
房间	房間	fángjiān	n.	37
飞机	飛機	fēijī	n.	26
非常	非常	fēicháng	adv.	7
分	分	fēn	m.	29
服务员	服務員	fúwùyuán	n.	8
父亲节	父親節	Fùqīn Jié	p.n.	18

简体 Simplified form	繁体 Complex form	拼音 *Pinyin*	词性 Word type	课号 Lesson
复活节	復活節	Fùhuó Jié	p.n.	
G				
干净	乾净	gānjìng	adj.	
感冒	感冒	gǎnmào	v.	
高	高	gāo	adj.	
高兴	高興	gāoxìng	adj.	
哥哥	哥哥	gēge	n.	
个	個	gè	m.	
个子	個子	gèzi	n.	
给	給	gěi	v.	
工作	工作	gōngzuò	n.	
公共汽车	公共汽車	gōnggòng qìchē		
公斤	公斤	gōngjīn	m.	
公司	公司	gōngsī	n.	
公园	公園	gōngyuán	n.	
姑妈	姑媽	gūmā	n.	
姑娘	姑娘	gūniang	n.	
刮风	颳風	guā fēng	v.	
拐	拐	guǎi	v.	
H				
还是	還是	háishi	conj.	
汉堡	漢堡	hànbǎo	n.	
汉语	漢語	Hànyǔ	p.n.	
汉字	漢字	Hànzì	p.n.	
好	好	hǎo	adj.	1, 29, 3
好看	好看	hǎokàn	adj.	
号	號	hào	n.	
喝	喝	hē	v.	
和	和	hé	conj.	
盒	盒	hé	n.	

简体 nplified form	繁体 Complex form	拼音 *Pinyin*	词性 Word type	课号 Lesson
黑色	黑色	hēisè	n.	16
很	很	hěn	adv.	3
红色	紅色	hóngsè	n.	15
后边	後邊	hòubian	n.	14
后天	後天	hòutiān	n.	30
化妆	化妝	huà zhuāng	v.	37
画画儿	畫畫兒	huà huàr	v.	38
话剧	話劇	huàjù	n.	30
黄色	黄色	huángsè	n.	15
灰色	灰色	huīsè	n.	16
回答	回答	huídá	v.	38
回来	回來	huílai	v.	27
火车	火車	huǒchē	n.	26
火车站	火車站	huǒchēzhàn	n.	23

J

简体	繁体	拼音	词性	课号
机场	機場	jīchǎng	n.	26
鸡蛋	雞蛋	jīdàn	n.	22
几	幾	jǐ	num.	12, 17
记者	記者	jìzhě	n.	7
家	家	jiā	n.	12, 35
家庭主妇	家庭主婦	jiātíng zhǔfù		7
见	見	jiàn	v.	29
件	件	jiàn	m.	15
健身	健身	jiànshēn	v.	10
饺子	餃子	jiǎozi	n.	20
脚	脚	jiǎo	n.	32
叫	叫	jiào	v.	1, 21
节日	節日	jiérì	n.	17
姐姐	姐姐	jiějie	n.	11
斤	斤	jīn	m.	20

简体 Simplified form	繁体 Complex form	拼音 *Pinyin*	词性 Word type	课号 Lesson
今年	今年	jīnnián	n.	18
今天	今天	jīntiān	n.	28
京剧	京劇	jīngjù	n.	10
经理	經理	jīnglǐ	n.	6
就	就	jiù	adv.	21
剧院	劇院	jùyuàn	n.	27

K

简体	繁体	拼音	词性	课号
咖啡	咖啡	kāfēi	n.	20
开车	開車	kāi chē	v.	25
看	看	kàn	v.	10
可乐	可樂	kělè	n.	20
可能	可能	kěnéng	adv.	35
刻	刻	kè	m.	30
客厅	客廳	kètīng	n.	40
口	口	kǒu	m.	12
裤子	褲子	kùzi	n.	16
酷	酷	kù	adj.	31
块	塊	kuài	m.	19
快	快	kuài	adj.	27
快递	快遞	kuàidì	n.	5
快乐	快樂	kuàilè	adj.	8
困	困	kùn	adj.	36

L

简体	繁体	拼音	词性	课号
辣	辣	là	adj.	19
蓝色	藍色	lánsè	n.	15
篮球	籃球	lánqiú	n.	9
劳动节	勞動節	Láodòng Jié	p.n.	18
老师	老師	lǎoshī	n.	6
了	了	le	part.	27

简体 Simplified form	繁体 Complex form	拼音 *Pinyin*	词性 Word type	课号 Lesson
累	累	lèi	adj.	8
冷	冷	lěng	adj.	33
里	裏	lǐ	n.	13
理发	理髮	lǐ fà	v.	38
凉	凉	liáng	adj.	19
量	量	liáng	v.	35
两	兩	liǎng	num.	12
零下	零下	líng xià		33
楼	樓	lóu	n.	23
路口	路口	lùkǒu	n.	23
旅游	旅游	lǚyóu	v.	27
律师	律師	lùshī	n.	8
绿色	绿色	lǜsè	n.	15

M

简体 Simplified form	繁体 Complex form	拼音 *Pinyin*	词性 Word type	课号 Lesson
妈	媽	mā	n.	21
妈妈	媽媽	māma	n.	11
吗	嗎	ma	part.	5
买	買	mǎi	v.	27
卖	賣	mài	v.	22
曼谷	曼谷	Màngǔ	p.n.	34
忙	忙	máng	adj.	7
没	没	méi	adv.	15
没关系	没關係	méi guānxi		5
没问题	没問題	méi wèntí		29
没有	没有	méiyǒu	v.	11
美国人	美國人	Měiguórén	p.n.	4
妹妹	妹妹	mèimei	n.	12
们	們	men	suf.	9
米饭	米飯	mǐfàn	n.	20
秘书	秘書	mìshū	n.	8
面包	麵包	miànbāo	n.	22
面条儿	麵條兒	miàntiáor	n.	19
名字	名字	míngzi	n.	1
明天	明天	míngtiān	n.	25
莫斯科	莫斯科	Mòsīkē	p.n.	34
母亲节	母親節	Mǔqīn Jié	p.n.	18

N

简体 Simplified form	繁体 Complex form	拼音 *Pinyin*	词性 Word type	课号 Lesson
哪	哪	nǎ	pron.	3
哪儿	哪兒	nǎr	pron.	13
哪国人	哪國人	nǎ guó rén		3
哪些	哪些	nǎxiē	pron.	17
那	那	nà	pron.	3
奶酪	奶酪	nǎilào	n.	22
奶奶	奶奶	nǎinai	n.	26
男朋友	男朋友	nánpéngyou	n.	11
南	南	nán	n.	24
南非人	南非人	Nánfēirén	p.n.	4
呢	呢	ne	part.	9
你	你	nǐ	pron.	1
年	年	nián	n.	17
娘	娘	niáng	n.	21
您	您	nín	pron.	3
牛奶	牛奶	niúnǎi	n.	22
牛肉	牛肉	niúròu	n.	20
牛仔裤	牛仔褲	niúzǎikù	n.	31
纽约	紐約	Niǔyuē	p.n.	34
农历	農曆	nónglì	n.	17
暖和	暖和	nuǎnhuo	adj.	34
女士	女士	nǚshì	n.	6

简体 implified form	繁体 Complex form	拼音 *Pinyin*	词性 Word type	课号 Lesson
P				
盘子	盤子	pánzi	n.	40
旁边	旁邊	pángbiān	n.	13
跑步	跑步	pǎo bù	v.	26
漂亮	漂亮	piàoliang	adj.	11
苹果	蘋果	píngguǒ	n.	21
瓶	瓶	píng	n.	20
葡萄	葡萄	pútao	n.	22
Q				
妻子	妻子	qīzi	n.	13
骑	騎	qí	v.	25
旗袍	旗袍	qípáo	n.	16
气温	氣温	qìwēn	n.	33
前	前	qián	n.	23
前边	前邊	qiánbian	n.	14
前天	前天	qiántiān	n.	28
钱	錢	qián	n.	21
巧克力	巧克力	qiǎokèlì	n.	22
清楚	清楚	qīngchu	adj.	40
情人节	情人節	Qíngrén Jié	p.n.	17
晴天	晴天	qíngtiān	n.	34
请问	請問	qǐngwèn	v.	5
秋天	秋天	qiūtiān	n.	34
去	去	qù	v.	26
裙子	裙子	qúnzi	n.	15
R				
热	熱	rè	adj.	19
人	人	rén	n.	12
认识	認識	rènshi	v.	3
日	日	rì	n.	17

简体 Simplified form	繁体 Complex form	拼音 *Pinyin*	词性 Word type	课号 Lesson
S				
三	三	sān	num.	12
嗓子	嗓子	sǎngzi	n.	35
沙发	沙發	shāfā	n.	13
商店	商店	shāngdiàn	n.	24
上	上	shàng	n.	13
上班	上班	shàng bān	v.	25
上海	上海	Shànghǎi	p.n.	26
上网	上網	shàng wǎng	v.	9
上午	上午	shàngwǔ	n.	30
上学	上學	shàng xué	v.	35
谁	誰	shéi	pron.	3
身材	身材	shēncái	n.	32
什么	什麼	shénme	pron.	1
生病	生病	shēng bìng	v.	35
生气	生氣	shēng qì	v.	36
圣诞节	聖誕節	Shèngdàn Jié	p.n.	18
世界环境日	世界環境日	Shìjiè Huánjìng Rì		25
事儿	事兒	shìr	n.	29
是	是	shì	v.	3
收拾	收拾	shōushi	v.	37
手	手	shǒu	n.	13
手机	手機	shǒujī	n.	16
书	書	shū	n.	10
书柜	書櫃	shūguì	n.	14
舒服	舒服	shūfu	adj.	16
刷卡	刷卡	shuā kǎ	v.	19
双	雙	shuāng	m.	16
水	水	shuǐ	n.	20
睡觉	睡覺	shuì jiào	v.	9

简体 Simplified form	繁体 Complex form	拼音 *Pinyin*	词性 Word type	课号 Lesson
司机	司機	sījī	n.	7
T				
他	他	tā	pron.	1
他们	他們	tāmen	pron.	9
它	它	tā	pron.	37
她	她	tā	pron.	2
太极拳	太極拳	tàijíquán	n.	9
太…了	太…了	tài … le		35
疼	疼	téng	adj.	35
踢	踢	tī	v.	28
体温	體温	tǐwēn	n.	35
体育馆	體育館	tǐyùguǎn	n.	27
天	天	tiān	n.	17
天气	天氣	tiānqì	n.	33
甜	甜	tián	adj.	20
条	條	tiáo	m.	15
跳舞	跳舞	tiào wǔ	v.	30
听	聽	tīng	v.	10
同事	同事	tóngshì	n.	25
同学	同學	tóngxué	n.	27
头	頭	tóu	n.	35
头发	頭髮	tóufa	n.	31
腿	腿	tuǐ	n.	32
W				
完	完	wán	v.	39
玩儿	玩兒	wánr	v.	27
晚饭	晚飯	wǎnfàn	n.	39
晚上	晚上	wǎnshang	n.	29
碗	碗	wǎn	n.	19
往	往	wǎng	prep.	23

简体 Simplified form	繁体 Complex form	拼音 *Pinyin*	词性 Word type	课号 Lesson
微博	微博	wēibó	n.	1
为什么	為什麼	wèi shénme		2
位	位	wèi	m.	3
喂	喂	wèi	int.	3
问题	問題	wèntí	n.	3
我	我	wǒ	pron.	
卧室	卧室	wòshì	n.	4
五	五	wǔ	num.	1
X				
西	西	xī	n.	2
西班牙人	西班牙人	Xībānyárén	p.n.	
西红柿	西紅柿	xīhóngshì	n.	2
悉尼	悉尼	Xīní	p.n.	3
洗	洗	xǐ	v.	3
喜欢	喜歡	xǐhuan	v.	
下	下	xià	v.	3
下边	下邊	xiàbian	n.	1
下午	下午	xiàwǔ	n.	2
夏天	夏天	xiàtiān	n.	3
先生	先生	xiānsheng	n.	
咸	鹹	xián	adj.	2
现金	現金	xiànjīn	n.	1
现在	現在	xiànzài	n.	3
香蕉	香蕉	xiāngjiāo	n.	2
小	小	xiǎo	adj.	1
小姐	小姐	xiǎojie	n.	
小猫	小貓	xiǎomāo	n.	3
小雨	小雨	xiǎoyǔ	n.	3
鞋	鞋	xié	n.	1
写	寫	xiě	v.	1

简体 nplified form	繁体 Complex form	拼音 *Pinyin*	词性 Word type	课号 Lesson
谢谢	謝謝	xièxie	v.	21
辛苦	辛苦	xīnkǔ	adj.	8
星期二	星期二	Xīngqī'èr	p.n.	18
星期几	星期幾	xīngqī jǐ		18
星期四	星期四	Xīngqīsì	p.n.	17
星期天	星期天	Xīngqītiān	p.n.	18
姓	姓	xìng	v.	1
休息	休息	xiūxi	v.	35
需要	需要	xūyào	v.	35
学	學	xué	v.	28
学生	學生	xuésheng	n.	8
学习	學習	xuéxí	v.	38
学校	學校	xuéxiào	n.	24
雪	雪	xuě	n.	33
Y				
牙	牙	yá	n.	36
眼睛	眼睛	yǎnjing	n.	31
羊肉	羊肉	yángròu	n.	20
药	藥	yào	n.	35
要	要	yào	v.	19
钥匙	鑰匙	yàoshi	n.	13
爷爷	爺爺	yéye	n.	26
也	也	yě	adv.	3
一	一	yī	num.	11
衣服	衣服	yīfu	n.	11
衣柜	衣櫃	yīguì	n.	14
医生	醫生	yīshēng	n.	7
医院	醫院	yīyuàn	n.	24
一共	一共	yígòng	adv.	19
颐和园	頤和園	Yíhé Yuán	p.n.	27

简体 Simplified form	繁体 Complex form	拼音 *Pinyin*	词性 Word type	课号 Lesson
椅子	椅子	yǐzi	n.	14
一直	一直	yìzhí	adv.	23
阴天	陰天	yīntiān	n.	33
音乐	音樂	yīnyuè	n.	10
音乐会	音樂會	yīnyuèhuì	n.	30
银行	銀行	yínháng	n.	23
邮递员	郵遞員	yóudìyuán	n.	5
邮局	郵局	yóujú	n.	23
游泳	游泳	yóuyǒng	v.	28
有	有	yǒu	v.	11, 33
右	右	yòu	n.	23
右边	右邊	yòubian	n.	14
鱼	魚	yú	n.	22
元宵节	元宵節	Yuánxiāo Jié	p.n.	17
约会	約會	yuēhuì	v.	11
月	月	yuè	n.	17
运动鞋	運動鞋	yùndòngxié	n.	31
运动员	運動員	yùndòngyuán	n.	8
Z				
再	再	zài	adv.	19
再见	再見	zàijiàn	v.	5
在	在	zài	v.	13
			prep.	35
早上	早上	zǎoshang	n.	29
怎么	怎麼	zěnme	pron.	22
怎么了	怎麼了	zěnme le		35
怎么样	怎麼樣	zěnmeyàng	pron.	15
丈夫	丈夫	zhàngfu	n.	13
这	這	zhè	pron.	3
这儿	這兒	zhèr	pron.	31

简体 Simplified form	繁体 Complex form	拼音 Pinyin	词性 Word type	课号 Lesson
这么	這麼	zhème	pron.	27
（正）在	（正）在	(zhèng) zài	adv.	37
中国	中國	Zhōngguó	p.n.	3
中国菜	中國菜	zhōngguócài	n.	9
中国人	中國人	Zhōngguórén	p.n.	3
中秋节	中秋節	Zhōngqiū Jié	p.n.	17
中午	中午	zhōngwǔ	n.	30
周末	周末	zhōumò	n.	25
桌子	桌子	zhuōzi	n.	13
自行车	自行車	zìxíngchē	n.	25
棕色	棕色	zōngsè	n.	16
走	走	zǒu	v.	23
走路	走路	zǒu lù	v.	25
足球	足球	zúqiú	n.	28
嘴	嘴	zuǐ	n.	32
最	最	zuì	adv.	7
昨天	昨天	zuótiān	n.	28
左	左	zuǒ	n.	23
左边	左邊	zuǒbian	n.	14
作业	作業	zuòyè	n.	39
坐	坐	zuò	v.	25
做	做	zuò	v.	7
做饭	做飯	zuò fàn	v.	37